LES 3 CLÉS
pour vaincre
les pires épreuves
de la vie

Le site de l'auteur : www.charbonier.fr

ISBN : 978-2-813-20591-9

www.editions-tredaniel.com
info@guytredaniel.fr

Dr Jean-Jacques Charbonier

LES 3 CLÉS
pour vaincre
les pires épreuves
de la vie

L'enseignement spirituel
des expériences de mort provisoire

Guy**Trédaniel** éditeur
19, rue Saint-Séverin
75005 Paris

Préface

« Qui suis-je ? » Ramana Maharshi, sans doute le plus grand sage hindou du XXᵉ siècle, faisait se poser encore et encore cette question à ses disciples pour les amener sur la voie de ce que les religions orientales appellent « l'éveil ».

Au fur et à mesure de leur démarche, les disciples devaient ainsi découvrir qu'ils n'étaient pas ce corps auquel ils s'identifiaient si souvent, puisqu'ils n'étaient pas cet ego avec ses désirs et ses pulsions. Ainsi s'ouvrait une voie vers « le soi » véritable, en connexion avec les consciences universelles et divines. On retrouve la même démarche chez les Grecs avec le « connais-toi toi-même » socratique.

La compréhension de notre véritable nature est un préalable nécessaire à toute forme de vrai bonheur (un état à ne surtout pas confondre avec le plaisir), comme le montre si bien cet ouvrage du docteur Jean-Jacques Charbonier.

Sa grande expérience d'anesthésiste et les centaines de témoignages qu'il a recueillis auprès de ceux qui ont fait ces fameuses expériences de mort imminente (EMI) l'ont amené à deux conclusions essentielles pour la réponse à la fameuse question « qui sommes-nous ? ». Tout d'abord, il faut séparer notre conscience analytique, celle qui domine dans notre vie de tous les jours, de notre conscience intuitive qui est une conscience « pure ». Ensuite, l'extraordinaire machine qu'est notre cerveau, l'objet le plus complexe connu dans l'univers, est un récepteur de cette conscience pure, et non son producteur.

Le cerveau reçoit la conscience tel un poste radio, au lieu de contenir la conscience comme le ferait un CD.

Cette hypothèse ouvre des voies vertigineuses qui s'éloignent profondément des conceptions matérialistes qui dominent aujourd'hui dans les neurosciences. Car si le cerveau est un récepteur, ne peut-on pas, en changeant de fréquences, entrer en contact avec d'autres consciences ? Que ce soit celles d'êtres défunts, de nos contemporains vivants, voire des consciences universelles ou divines ? C'est ce que nous propose Jean-Jacques Charbonier à partir de ces deux points de départ essentiels que sont l'existence d'une conscience pure et le caractère de récepteur, et non de producteur de la conscience, du cerveau humain.

Ceux que pourraient rebuter cette excursion vers la télépathie et la médiumnité doivent savoir qu'au moins le point de départ, l'existence d'une conscience pure, est confirmé par des travaux scientifiques récents comme ceux du professeur Dominique Laplane, l'un des grands neurologues français. Il a constaté que certains de ses patients étaient atteints d'une maladie qui supprime toute réaction. Si on les laisse seuls dans leur bain, ils n'en sortiront jamais. Mais dès qu'on les stimule, qu'on interagit avec eux, ils se comportent de façon quasi normale et peuvent entrer en relation avec leur entourage. Si on leur demande s'ils étaient conscients pendant la durée de leurs « absences », ils répondent :

- « Oui.
- Et à quoi pensiez-vous pendant ces moments-là ?
- À rien.

- C'est impossible, si on est conscient, on doit bien penser à quelque chose, avoir au moins des images qui nous traversent l'esprit...

- C'est impossible pour vous docteur, mais pas pour moi ! »

Laplane établit une distinction absolument fondamentale entre la conscience et les contenus de la conscience. L'existence d'une « conscience pure » ou d'un état de « conscience vide » pendant lequel le sujet reste conscient bien que *rien ne se passe* dans son esprit prouve que l'on ne peut pas identifier la conscience avec l'ensemble de ses contenus. Il semble que cette découverte constitue un progrès important de nos connaissances car des spécialistes des neurosciences comme Dennett, Damasio ou Crick ne peuvent même pas *imaginer* qu'un tel état existe.

L'existence d'un état de « conscience pure » recoupe bien évidemment les témoignages de méditants orientaux qui parviennent, après de nombreux efforts, à cet état de « non-pensée », et recoupe également les témoignages de ceux qui ont fait des expériences de mort imminente et qui décrivent un état de conscience délocalisée, pouvant s'extraire du temps et de l'espace. En fait, cette idée selon laquelle notre être véritable n'est pas notre corps physique ni même notre « moi », notre ego et les désirs qui l'accompagnent, se retrouve sous des formes diverses dans toutes les grandes religions et traditions de l'humanité. D'une façon ou d'une autre, elles nous enseignent à chercher notre « soi » véritable au-delà de ce que nous croyons être au vu de notre expérience quotidienne.

Mais il n'est pas nécessaire d'être dans le coma ou de suivre les exercices d'une tradition religieuse pour faire cette découverte. Antoine de Saint-Exupéry, dans son ouvrage *Pilote de guerre* , a rapporté en termes saisissants cette expérience qu'il a faite au cours de ce qui était véritablement une mission suicide, un survol à basse altitude du gros de l'armée allemande pour prendre des photos, et où son espérance de vie était limitée à quelques secondes. Comment ne pas être saisi par le parallèle qui existe entre ses propos et le chapitre VI du présent ouvrage. « *L'épreuve, j'en faisais une épreuve pour ma chair, je l'imaginais subie dans ma chair. Le point de vue que j'adoptais nécessairement était celui de mon corps même. On s'est tellement occupé de son corps ! On l'a tellement habillé, lavé, soigné, rasé, abreuvé, nourri. On s'est identifié à cet animal domestique. On l'a conduit chez le tailleur, chez le médecin, chez le chirurgien. On a souffert avec lui. On a crié avec lui. On a aimé avec lui. On a dit de lui : c'est moi. Et voilà que tout à coup cette illusion s'éboule. On se moque bien du corps ! […] Ce n'est qu'à l'instant de rendre ce corps que tous, toujours, découvrent avec stupéfaction combien peu ils tiennent au corps. […] Mon corps, je me fous bien de toi ! Je suis expulsé hors de toi, je n'ai plus d'espoir, et rien ne me manque ! Je renie tout ce que j'étais jusqu'à cette seconde-ci, ce n'est ni moi qui pensais, ni moi qui éprouvais, c'était mon corps. Tant bien que mal, j'ai dû, en le tirant, l'amener jusqu'ici où je découvre qu'il n'a plus aucune importance.*

C'est une vérité de tous les jours qu'une illusion de tous les jours recouvre d'un masque impénétrable. »

Certes, il faut faire très attention à ne pas abuser de cette conception platonicienne selon laquelle « le corps est une prison pour l'âme ». Cela amène à trop dévaloriser les choses de ce monde, à nier les différentes formes de plaisir, à s'infliger des épreuves qui peuvent parfois amener à des déséquilibres mentaux. Ce fut l'erreur de divers mouvements cathares et gnostiques pour qui, par exemple, « faire un enfant dans le mariage était un péché aussi grave que de faire un enfant hors mariage » , car cela amenait une âme supplémentaire « à entrer en prison ».

L'Église catholique qui combattit pourtant ces mouvements reçoit elle aussi ce genre de critiques selon lesquelles elle serait en partie responsable des problèmes d'environnement, en ayant trop dévalorisé le monde naturel par rapport au monde divin (bien que l'on puisse y voir un mauvais procès à la lumière des différents mystiques chrétiens qui, comme saint François d'Assise, ont célébré la nature et ses beautés).

Cette approche ne doit pas non plus amener ceux qui font face à des difficultés inextricables à mettre fin à leurs jours pour profiter tout de suite d'un monde meilleur. Les choses sont ainsi faites que, comme le rapportent tous ceux qui ont fait des expériences de mort imminente suite à une tentative de suicide, on ne peut échapper par un tel geste aux problèmes que nous connaissons ici-bas. Nous devons les affronter jusqu'au bout pour les dépasser, car sinon ils nous poursuivront dans notre nouvelle forme d'existence, ce qui est encore bien pire.

Mais on comprend très bien grâce au talent littéraire de Saint-Exupéry (qui ne fut ni blessé ni dans le coma lors de cette expérience) le caractère jubilatoire que peut avoir cette prise de conscience pour tous ceux qui la font. Oui, nous ne sommes pas ce corps, aussi important qu'il puisse être. N'oublions pas que sans l'existence de la chenille, le papillon ne pourrait prendre son envol. Il faut donc choyer, respecter, protéger les chenilles. Les mépriser et les écraser, étant donné leur aspect peu ragoûtant, serait une erreur terrible. Mais confondre la chenille avec le papillon, confondre le moyen avec le but, est une autre erreur terrible ! C'est une erreur que nous sommes tous tentés de faire en tout temps et en tout lieu, mais encore bien plus de nos jours où nous sommes immergés dans une société matérialiste qui est sans doute la première dans l'histoire humaine à nier l'existence indépendante de l'esprit et la conception traditionnelle de l'homme qui est celle de toutes les grandes religions.

Voici en quelque sorte « le secret du malheur de notre civilisation ». La raison pour laquelle le taux de suicide, surtout celui des jeunes, est sans équivalent à notre époque. Pourquoi la consommation de psychotropes ou d'antidépresseurs atteint-elle de tels niveaux ? C'est que, inconsciemment, nous ne supportons pas la réduction de ce que nous sommes à une dimension purement immanente. Dans cet ouvrage, le docteur Jean-Jacques Charbonier nous donnera trois secrets de bonheur. Mais derrière ces secrets, se cache un grand secret primordial. Celui que finissaient par connaître les disciples de Ramana Maharshi à force de se poser la question « qui suis je ? ». Secret qu'ont entrevu ceux qui ont fait l'expérience de la mort imminente et qui a changé leur vie à jamais. Secret connu de toutes les traditions selon lesquelles notre vraie nature s'étend bien au-delà de notre corps, du temps et de l'espace.

Il n'est pas nécessaire d'avoir vécu une mort clinique ni d'avoir pratiqué la méditation pendant des années pour prendre conscience de cela et atteindre une certaine forme d'éveil. Comme le montre l'exemple de Saint-Exupéry, il est possible, dans les événements de la vie, de briser le masque impénétrable de cette illusion de tous les jours selon laquelle la réalité se limiterait au monde matériel, pour atteindre cette vérité, si souvent connue et si souvent oubliée, qui concerne la nature transcendante de notre être véritable. C'est à cela que le présent ouvrage peut nous aider, surtout dans les circonstances difficiles de notre vie, et c'est ce qui fait toute son importance.

JEAN STAUNE
Philosophe des sciences,
auteur de *Notre existence
a-t-elle un sens ?*

Le chiffre 3

Le chiffre 3 est associé au triangle. Le Saint-Esprit se voit lié à cette forme géométrique avec raison : la voyante Catherine Emmerich, dont il sera aussi question dans cet ouvrage, percevait l'Esprit-Saint comme l'œil de Dieu au centre d'une surface limitée par trois côtés.

Pour les Égyptiens, 3 symbolise le cosmos, qui comporte trois éléments : le ciel, la terre et le *duat,* qui est une zone intermédiaire entre le monde matériel et les esprits célestes. Atteindre ce fameux *duat* par la révélation d'informations aussi nouvelles que stupéfiantes est précisément l'un des objectifs de ce travail.

Ce livre est divisé en trois parties qui ne sont pas, comme on pourrait s'y attendre, les clés du bonheur inconditionnel exposées les unes à la suite des autres. Non, les trois secrets apparaîtront comme une évidence au fil de la lecture. Ils seront toutefois résumés dans un dernier chapitre mais sembleront trop abstraits, voire incompréhensibles, pour qui n'aurait pas lu l'intégralité du texte.

Dans une première partie, nous envisagerons le fonctionnement de la conscience d'une manière totalement révolutionnaire et inédite. La modélisation que je propose m'a été suggérée par des années de recherche passées auprès de mourants, de comateux et de personnes qui ont vécu des états de mort clinique (mort provisoire).

La deuxième partie est consacrée à la définition du bonheur inconditionnel, compte tenu de mes découvertes sur le fonctionnement de la conscience. Des milliers d'ouvrages ont déjà été publiés sur le bonheur mais très peu, pour ainsi dire aucun, sur le bonheur inconditionnel, qui est un état de sérénité indépendant des conditions environnementales et accessible très facilement sans faire appel à une religion ou à une philosophie plus ou moins dogmatique.

Enfin, la dernière partie sera une mise en pratique des trois secrets du bonheur inconditionnel dans les pires moments de l'existence : la perte d'un être cher, la perte de son animal favori, la maladie grave, un handicap définitif, sa propre mort, la perte affective, la perte de son travail, la ruine.

Si, en refermant ce livre, vous pensez que cet enseignement peut aider une personne de votre entourage confrontée à l'une des pires épreuves de la vie, ne le rangez pas dans votre bibliothèque, offrez-le lui.

Avant-propos

Vers l'âge de sept-huit ans, il m'était difficile de rencontrer un nouvel adulte sans lui demander deux choses ; deux soucis récurrents qui me taraudaient l'esprit. Quelques minutes à peine après les présentations, je lâchais tout de go, le regard suppliant : « Qu'y a-t-il après la mort ? » Puis, très vite après : « Pourquoi je suis moi ? » Persuadé que quelqu'un devait détenir les réponses, je persistai dans cette improbable investigation jusqu'à l'entrée au lycée.

Je me rends compte aujourd'hui à quel point ces questions existentielles, *a priori* naïves et presque désuètes, sont étroitement liées et primordiales, puisqu'il me semble totalement impossible de trouver une sérénité authentique et le bonheur qui en découle sans y avoir préalablement répondu.

Quand je parle de bonheur et de sérénité, je désigne des valeurs vraies et solides. J'exclus donc de ce champ les différentes « distractions » de nos sociétés occidentales, qui nous donnent l'illusion d'un bien-être aussi artificiel que fugace, tels que les plaisirs temporaires monnayables, les récompenses sociales ou encore les « coups de cœur » relationnels ou matériels, aussi multiples qu'éphémères, qui flattent notre ego. Non, il ne s'agit en rien de tout cela ! Je ne parlerai pas non plus de la fausse définition scientifique du bonheur, qui assimile celui-ci aux plaisirs induits par la sécrétion hormonale de dopamine, d'endorphine ou de sérotonine et qui résulte d'observations d'imageries radiologiques complexes montrant les zones cérébrales activées lors de nos petites satisfactions terrestres, que celles-ci soient sexuelles, gastronomiques, ou encore moins avouables comme celles induites par la saveur d'un alcool, d'une cigarette ou par l'excitation d'un jeu de casino. En effet, si un bonheur authentique procure du plaisir, il est clair que l'on peut collectionner toutes les satisfactions terrestres au point d'en développer de véritables addictions sans pour autant trouver le véritable bonheur. Le magazine français très connu qui titra en son temps : « Les scientifiques ont découvert l'hormone du bonheur » a fait un bien curieux raccourci en assimilant le plaisir au bonheur ! La chose peut sembler surprenante et incongrue mais c'est pourtant en pratiquant des anesthésies générales et en réanimant des gens ayant fait des arrêts cardiaques que j'ai enfin compris quel était le secret du bonheur inconditionnel. J'ai appris au fil du temps, en étudiant patiemment pendant plus de vingt ans des centaines de témoignages de personnes qui ont vécu des NDE[1], que la seule façon d'être pleinement heureux, et de façon durable, est de développer le fonctionnement intuitif de sa conscience. Et je sais aussi que c'est précisément cette expérience hors du commun qui permet d'atteindre une paix intérieure. Mes recherches sur les transformations positives de ces expérienceurs[2] m'ont conduit à entreprendre la réalisation de cet ouvrage car, oui, je prétends que nous pouvons nous aussi bénéficier de cette sublime métamorphose sans avoir pour autant à devoir subir un arrêt cardiaque ! Mais pour cela, il faut avant tout comprendre les mécanismes intimes du fonctionnement de

---

1. NDE : *near death experience*, expérience aux frontières de la mort EFM ou expérience de mort imminente EMI. Elles sont aujourd'hui appelées expériences de mort provisoire EMP.

2. Néologisme inspiré du mot anglo-saxon *experiencer*, qui désigne les personnes qui ont vécu une NDE.

notre propre conscience ; ce challenge sera l'un des objectifs de ce livre.

Mais revenons à mes angoisses enfantines. Sur ma première interrogation concernant l'après-mort (ou l'après-vie), personne ne restait muet. On me répondait la plupart du temps que, après notre vie terrestre, on allait, ou pas, retrouver Dieu au moment du « Jugement dernier ». Le paradis étant réservé à celles et ceux qui avaient fait le bien tandis que les autres, les méchants et les vilains, iraient brûler en enfer pour l'éternité, avec le diable pour seul compagnon. Certains me disaient qu'ils n'en savaient fichtre rien et que personne n'avait de solution à donner à cette énigme étant donné qu'aucun être humain n'avait pu revenir de la mort pour nous raconter ce qu'il avait vécu. « On verra bien », finissaient-ils par me dire en haussant les épaules. Les plus malins se défaussaient en m'affirmant que je résoudrais cet épineux problème en grandissant mais qu'ils ne pouvaient rien me révéler pour l'instant, car j'étais trop petit pour comprendre. Enfin, une minorité de gens sursautaient d'indignation en prétendant qu'il ne fallait surtout pas parler de « ça » au risque d'attirer le malheur sur soi et que, de toute façon, on avait tout le temps d'y penser plus tard en devenant *très très vieux* et presque mort. Bref, tout le monde avait un avis à me donner là-dessus. En revanche, je me confrontais à une totale et unanime incompréhension générale quand j'annonçais l'épreuve suivante : « Pourquoi je suis moi ? » Et quand, après un long mutisme embarrassé, on me suppliait de préciser ma question, je répondais : « Ben oui quoi, pourquoi moi, c'est moi ? » Bien sûr, mes interlocuteurs n'étaient pas plus avancés et bon nombre d'entre eux se grattaient la tête en soupirant, l'air inquiet, avant de m'envoyer jouer ailleurs. Mon grand-père paternel ayant même suggéré à son fils de prendre un rendez-vous avec un pédopsychiatre au cas où les choses fussent bien plus graves qu'il n'y paraissait. En fait, à cette époque, il manquait un mot à mon vocabulaire : le mot « conscience ». Il est sûr que j'aurais certainement obtenu de meilleurs résultats si j'avais plutôt déclamé : « Être ou ne pas être, là est ma question ; d'où vient notre propre conscience, hein ? » Mon grand-père n'aurait pas été plus rassuré pour autant sur ma santé mentale, mais bon…

Ce livre tentera de donner une explication sur le fonctionnement de notre propre conscience, sur la provenance de nos pensées, l'élaboration de nos prises de décision, de nos jugements, de nos intuitions, de nos pulsions, de nos idées et de nos actions. Autrement dit, sur toutes ces choses qui font de nous ce que nous sommes. Nous démontrerons que l'acceptation de l'existence d'une vie après la mort et la compréhension du fonctionnement de la conscience peuvent être les clés d'une démarche spirituelle qui est la seule et unique façon de vivre en paix et en harmonie avec soi-même, avec les autres et avec les différentes forces telluriques et cosmiques qui nous entourent. La connaissance des trois secrets du bonheur inconditionnel offrira au lecteur une nouvelle façon de voir les choses en lui permettant de changer radicalement sa personnalité et tous ses objectifs de vie.

Il paraît qu'un bon livre est celui dont la lecture est capable de modifier les gens. Je souhaite de tout mon cœur que celui que vous tenez entre vos mains réponde à cette définition.

Avertissement

Tous les témoignages qui vont suivre sont authentiques : ils m'ont été personnellement adressés par écrit, ou confiés lors d'entrevues. À la demande de certains témoins, j'ai parfois utilisé des identités fictives et retiré toute indication qui aurait pu permettre de reconnaître les personnes impliquées. Pour illustrer mes propos, j'ai aussi été obligé de ne retranscrire que des extraits de courriers reçus.

PREMIÈRE PARTIE

Révélations sur
le fonctionnement
de la conscience

CHAPITRE 1

Définir la conscience

Selon la définition du Larousse, « la conscience est la connaissance, intuitive ou réflexive immédiate, que chacun a de son existence et de celle du monde extérieur ».

Être conscient, c'est donc avoir la certitude d'exister. On peut donc tout d'abord se demander si notre conscience est permanente et constante. Et, dans l'hypothèse d'une discontinuité, à quel moment s'interromprait-elle ?

Une conscience ininterrompue

À quel moment de la vie la conscience peut-elle disparaître ? Pour l'observateur, un sujet est inconscient lorsqu'il ne semble plus percevoir son environnement. Ceci ne se voit que dans trois situations : le sommeil, le coma ou la mort. Mais la conscience est-elle totalement éteinte pour autant durant ces trois états cliniques ?

Pendant le sommeil ?

Non. Nous avons tous une activité onirique périodique qui est régulièrement oubliée au réveil. Il n'empêche que, durant nos rêves, nous avons la *connaissance de notre propre existence* dans un autre univers, nourri d'un imaginaire dont l'origine reste on ne peut plus mystérieuse. Un environnement est bien perçu, mais il est différent de celui qui appartient à ce que nous appelons « le monde réel ». Certains disent même trouver dans ces périodes particulières des solutions à des problèmes complexes personnels ou des intuitions précognitives (rêves prémonitoires).

Pendant le coma ?

Pas plus. De nombreux témoignages rapportent de surprenantes descriptions de scènes contemporaines à ces ralentissements d'activité cérébrale. Alors qu'on les pensait totalement inconscients, des comateux ont pu décrire les moindres détails de tout ce qui se passait autour d'eux. Ils avaient donc également *connaissance de leur existence et de celle d'un monde extérieur ;* une perception somme toute bien différente de celle que nous avons à l'état de veille. En novembre 2011, *The Lancet*, la célèbre revue médicale à comité de lecture scientifique publie une étude prouvant que des personnes plongées dans des états de coma végétatif sont capables d'entendre, de comprendre et de répondre à des instructions orales. Leurs réponses sont clairement objectivées sur des électro-encéphalogrammes. Cette étude, menée sur seize patients en état végétatif, fut inspirée par le cas d'une jeune Anglaise qui avait été capable, en 2006, d'activer des zones spécifiques de son cerveau lorsqu'on lui demandait de s'imaginer en train de jouer au tennis ou de déambuler dans sa maison. Alors qu'elle était plongée dans un coma végétatif profond depuis plus de cinq mois à la suite d'un grave traumatisme crânien, et donc apparemment totalement inconsciente, cette jeune femme fut en mesure de réaliser cette époustouflante prouesse.

Pendant la mort clinique ?

Non encore. Dans bon nombre de cas, les réanimés ont fait preuve d'une étonnante lucidité au moment de leur mort déclarée, étant en mesure de rapporter ce qui se déroulait non seulement à proximité de leur corps, mais aussi à distance de celui-ci. Et tout ceci au moment même où leur cerveau n'avait plus aucune activité électrique décelable ! Les choses s'effectuant en fait comme si la conscience privée du fonctionnement cérébral se trouvait renforcée et encore plus performante qu'avant, ayant la possibilité de traverser la matière pour voyager dans l'espace et dans le temps ! Compte tenu de ces résultats, on pourrait donc conclure que **la conscience ne s'arrête jamais** ! Nous passerions d'un état de conscience ordinaire à un état de conscience modifié au cours du sommeil, des comas et de la mort clinique, mais nous conserverions une même conscience ! D'autres états de conscience spécifiques sont obtenus lors de méditations, de prières, de respirations holotropiques[3],

---

3. Le travail de respiration holotropique, *Holotropic Breathwork* (TRH),

d'hypnoses, d'EMDR[4], d'expériences mystiques ou de transes chamaniques, mais celles-ci relèvent davantage du domaine de l'expérimentation personnelle que de la physiologie ordinaire. Nous y reviendrons.

Nous n'avons pas conscience de notre propre conscience

Il y a de bonnes raisons de penser que nous ne sommes pas en mesure de savoir à quel moment précis s'effectue la transition d'un état de conscience normale à celui de conscience modifiée.

---

a été mis au point par le Dr Stanislav Grof pour provoquer l'entrée dans un état de conscience altéré, permettant à l'esprit de changer de mode de fonctionnement. Ce psychiatre a longuement étudié l'effet thérapeutique des drogues psychédéliques (comme le LSD). Selon Grof et son équipe, une expérience de respiration holotropique devrait se faire en groupe car c'est, dit-il, « une expérience individuelle pratiquée collectivement ».

4. *Eye-Movement-Desensitization and Reprocessing* : psychothérapie d'intégration neuro-émotionnelle par des stimulations bilatérales alternées du corps ; mouvements oculaires induits en particulier. Employé notamment pour traiter les états de stress post-traumatiques. Certains chercheurs prétendent avoir obtenu par ce biais-là des contacts avec des défunts.

Au cours de ces vingt et quelque dernières années, j'ai effectué des dizaines de milliers d'anesthésies générales et je sais par expérience que les patients que j'endors semblent perdre connaissance de façon brutale une vingtaine de secondes environ après l'injection intraveineuse du narcotique. Les sujets anesthésiés disent « partir d'un seul coup et très rapidement », sans se rendre compte que leur conscience s'éteint en fait de façon douce et progressive, comme un interrupteur à variateur. L'impression de coupure nette de la conscience ne serait qu'illusoire, puisque subsisterait une activité cérébrale corticale[5] résiduelle et donc, une certaine forme de conscience au moment de la sensation de la perte de connaissance. En effet, des chercheurs ont récemment visualisé ce qui se passe dans le cerveau pendant une anesthésie générale grâce à une nouvelle technique d'imagerie médicale en trois dimensions[6]. D'après

---

5. Le cortex cérébral est la partie noble du cerveau ; la matière grise, par opposition à la matière blanche centrale. Il est situé à la périphérie de l'encéphale et ne représente chez l'homme que de 1 à 4,5 millimètres d'épaisseur. Mais, sa structure plissée lui permet de s'étendre sur une surface moyenne de plus de 2 000 centimètres carrés, grâce à un système complexe de circonvolutions. La maladie d'Alzheimer est secondaire à une dégénérescence corticale, et provoque des troubles de la cognition et de la mémoire.

6. Technique – dite FEITER pour *Functional Electrical Impedence Tomography by Evoked Response* – qui est capable d'enregistrer et de visualiser à très haute vitesse l'activité électrique profonde du cerveau. Le dispositif associe trente-

le Dr Brian Pollard, de l'université de Manchester, le sommeil anesthésique serait secondaire à la montée en puissance de multiples foyers d'inhibition disséminés au niveau du cortex cérébral. Le Dr Susan Greenfield, chercheuse à l'université d'Oxford, avait déjà émis cette hypothèse, en suggérant que la conscience n'obéit pas à une loi du « tout ou rien », mais constitue au contraire un état variable[7].

Ces recherches très récentes montrent bien que la notion de perte de connaissance apparente n'est pas synonyme de perte de conscience absolue. On peut donc s'interroger sur la nature de cette conscience résiduelle ; à quoi correspond-elle vraiment ? S'il n'existe aucune mémoire de cet état intermédiaire, on ne peut en conclure qu'aucune conscience n'est possible durant cette période. Nous rêvons toutes les nuits et plusieurs fois par nuit, une conscience perdure au cours des comas profonds et des arrêts cardiaques, mais une minorité de personnes gardent le souvenir de ces états de

---

deux électrodes disposées sur le crâne à un traitement informatique surpuissant. C'est ainsi que l'effet de l'anesthésie générale, testé chez vingt volontaires, a été mis en images en temps réel et en 3D avec une centaine de mesures électriques par seconde sur les secteurs enregistrés.

7. Congrès européen d'anesthésiologie, Amsterdam, du 11 au 14 juin 2011.

conscience modifiée ; nous n'avons donc que très rarement conscience de notre propre conscience.

Conscience analytique et conscience intuitive

Pour répondre à la question « pourquoi je suis moi ? », il faut d'abord résoudre une autre énigme : comment je suis moi ? Autrement dit, comment sommes-nous capables d'avoir conscience de notre « moi » ? On doit, pour ce faire, séparer deux formes de consciences complémentaires qui coexistent en nous et que l'on pourrait appeler conscience analytique et conscience intuitive.

La conscience analytique

Cette conscience bien particulière nous envahit ; elle nous donne l'illusion d'être notre « moi » le plus intime alors qu'elle ne cesse de nous mesurer et de nous évaluer. La conscience analytique ne fonctionne qu'avec des repères ; repères de lieux (position et progression dans l'espace), repères de temps (situation relative au passé ou au futur), repères sociaux (hiérarchie, récompenses et sanctions, possessions matérielles).

Par rapport aux lieux : si nous avions l'opportunité de nous retrouver en train de flotter – c'est-à-dire sans repère tactile – dans une pièce totalement noire, privé de toute sensation auditive ou olfactive, notre conscience analytique n'aurait aucun moyen de nous prouver notre présence. Elle n'entrerait en action que si une perception sensorielle surgissait dans ce néant illusoire ; par exemple, une lumière s'allumant dans l'obscurité totale. La seule lueur d'une bougie suffirait à nous localiser par rapport à sa position et à nous donner la certitude d'être vivant. Sans ce repère visuel, selon notre conscience analytique, nous n'existerions tout simplement pas !

Par rapport au temps : notre conscience induira en permanence des pensées vers le futur sous forme de projets à réaliser, de tâches à accomplir, de buts à atteindre, ou bien encore vers le passé, en provoquant des sentiments de regret, de remords ou de nostalgie comme dans le deuil. Bref, on l'aura compris, en se référant sans cesse au temps qui passe, la conscience analytique fera tout ce qui est en son pouvoir pour nous rendre malheureux ou angoissés !

Par rapport aux règles sociales : cette conscience analytique correspond à ce que certains appellent « le mental » ; elle est essentiellement axée sur l'ego valorisé par les repères sociaux obéissant à des règles ou à des codes précis. Elle se traduit par des réactions réflectives conditionnées par nos expériences successives. C'est cette forme de conscience qui suscite en nous tous les sentiments négatifs comme la haine, la rancœur, la colère, la peur, la jalousie, la tristesse, l'insatisfaction, la dépression, le dénigrement, la frustration, la cupidité, la vengeance. Elle peut aussi nous rendre faussement heureux de façon temporaire et illusoire en empruntant les mêmes circuits de mesure et d'évaluation. Par exemple, si nous sommes heureux d'avoir acheté une nouvelle voiture, nous le devons exclusivement à notre conscience analytique, qui projette notre « moi » sur l'objet métallique à quatre roues. Et cette conscience délétère sera de nouveau sollicitée pour nous rendre malheureux quand sa belle carrosserie sera rayée ou abîmée. Nous pensons être ce « moi » et nous le jugeons par rapport à des valeurs extérieures totalement artificielles, arbitraires et conventionnelles, qui sont données par l'éducation, une expérience de vie ou un apprentissage personnel axé sur un système de société matérialiste et symbolique. Nos émotions, nos pulsions, nos réactions violentes sont le plus souvent dictées de cette façon-là.

La conscience intuitive

Cette forme de conscience est opposable point par point à la précédente ; elle n'est absolument pas dans l'analyse, la réflexion, le mental ou l'ego. C'est une connaissance directe et immédiate de la vérité, sans recours au raisonnement ou à l'expérience. Elle se manifeste par une perception spontanée ou une inspiration soudaine. Non soumise au temps, suffisamment autonome et indépendante, elle est dans « l'ici et le maintenant ». Elle constitue notre véritable « moi ». Un moi relié aux autres – mais sans notion de comparaison ou de compétition –, aux forces cosmiques et telluriques et aux différents champs de l'univers. Cette conscience intuitive nous ouvre les portes de la spiritualité et des états de conscience modifiés induits dont il était précédemment question. En Orient, la conscience intuitive est appelée « conscience pure » et est définie comme un état de « non-mental » qui conduit à l'éveil. Le « bruit » fait par la conscience analytique ne permet pas d'entendre la conscience intuitive, qui est naturelle, spontanée, presque animale. En effet, les animaux sont beaucoup plus intuitifs que nous. Ils ne sont ni rancuniers ni reliés au temps. Un homme pourra retrouver son chien après une absence de quelques heures ou de plusieurs semaines, l'animal lui fera toujours la même fête, car pour le toutou en question, peu importe la durée de la séparation ; il va simplement savourer le bonheur des retrouvailles, ici et maintenant, même si son maître l'a méchamment battu avant son départ.

Deux niveaux de conscience complémentaires

Nous avons bien sûr besoin d'analyser nos situations de façon constante pour évoluer en société, nous localiser dans le temps et dans l'espace, mais nous devons aussi, le moment venu, savoir écouter nos intuitions en faisant taire notre mental pour trouver le bonheur. L'individu qui n'aurait qu'une conscience intuitive passerait rapidement pour un illuminé ou un farfelu, tandis que celui qui n'utiliserait que sa conscience analytique ressemblerait davantage à un robot qu'à un être humain. C'est le savant mélange de ces deux formes de conscience qui devrait nous permettre de trouver un équilibre. Malheureusement, une exacerbation des contraintes matérialistes de nos civilisations modernes fait que les consciences analytiques se sont surdéveloppées au détriment des consciences intuitives. Il suffit d'observer les gens évoluer dans les rues de nos métropoles pour se rendre compte que les robots sont beaucoup plus nombreux que les illuminés ; les visages sont figés dans une expression triste et crispée, les regards sont fixes, les pas sont rapides. Les marcheurs solitaires qui arpentent les trottoirs sont tellement pris par leur mental qu'ils semblent totalement indifférents à ce qui les entoure ; on a l'impression qu'ils seraient tout à fait capables d'enjamber un cadavre sans modifier leur trajectoire d'un seul centimètre et on les croise en ayant l'impression d'être transparent ! La conscience analytique peut analyser la conscience intuitive, mais hélas, la trouvant trop encombrante, elle la rejette rapidement en la considérant comme une faiblesse de l'esprit. Quelle erreur ! La conscience intuitive peut, à son tour, observer la conscience analytique ; cette démarche sera, à l'inverse, très positive car elle intégrera les données avec suffisamment de distance pour pouvoir s'en détacher. Le détachement étant, comme le savent les bouddhistes, l'une des clés de la paix intérieure et de la sérénité.

Pour bien illustrer la différence entre ces deux formes de conscience, voici deux comportements opposés que je peux avoir à la fin d'une conférence quand je marche vers mon hôtel un soir de pluie.

Ma conscience analytique me fera penser : je n'ai pas été aussi bon que d'habitude ce soir. J'ai eu bien du mal à expliquer des choses pourtant simples. J'espère ne pas avoir déçu cette femme avec ma réponse confuse. J'avais soif et l'organisatrice n'avait même pas prévu de bouteille d'eau ! Quel manque de savoir vivre ! Il pleut et je dois encore marcher au moins dix minutes sans parapluie ; je vais être trempé ! De quoi vais-je avoir l'air, moi, en arrivant ? J'espère que je ne croiserai personne dans le hall. En plus, il fait un froid de canard, je vais attraper la mort, oui ! Personne ne m'a proposé de me ramener en voiture. Je ne reviendrai jamais dans ce pays, même si on me supplie à genoux ! Et d'ailleurs, qu'est-ce que je suis venu faire ici ? Je me le demande. J'aurais mieux fait de rester chez moi en famille. J'abandonne régulièrement ma femme et mes enfants ; je suis un mauvais père et un mauvais mari. Zut, je viens de me cogner le pied à cette marche que je n'avais même pas vue ! Ma conscience intuitive produira une tout autre perception de l'instant : des gouttes d'eau me rafraîchissent le visage ; délicieuse sensation de ruissellement sur ma peau. Mon pied droit frappe le sol mouillé et ça fait « flouch » ! Quel joli son ! Cette odeur suave d'herbe et de terre mouillée me ravit. Ma respiration suit le rythme du vent et je suis en lui. Je suis aussi la pluie, chaque molécule d'eau est en moi. Tout mon être se mélange à la pluie et au vent. Je deviens la pluie et le vent. J'appartiens à l'univers tout entier, je sens la plus infime de ses vibrations. J'entends mon père[8] qui me dit : « Continue à faire ce que tu fais, mon fils, c'est très bien. » Merci papa pour ce cadeau. La vie est un cadeau de Dieu. Tiens, j'ai de mauvaises pensées sur ma conférence de ce soir qui m'arrivent à l'instant au cerveau ; c'est encore un vilain tour de ma conscience analytique et cela me fait bien rire. Ah ! Ah !

---

8. Mon père est parti pour l'autre monde le 4 juillet 2006.

La conscience des expérienceurs

Nous savons que l'activité électrique du cerveau disparaît quinze à vingt secondes après le dernier battement cardiaque et que cette suppression d'activité cérébrale correspond à un surprenant état de conscience modifié dans 18 % des cas. Les expérienceurs racontent avoir eu des possibilités de perceptions invraisemblables compte tenu de nos connaissances actuelles : déplacements illimités dans le temps et dans l'espace, possibilité de télépathie avec l'entourage mais aussi avec des défunts venus les accueillir, avec des êtres de lumière ou des guides spirituels, dialogues avec des divinités, rencontre d'une indicible lumière d'amour, omniscience, rétrocognition[9], précognition[10]… Cette liste n'est pas exhaustive et aucun superlatif ne semble suffisant pour décrire leur expérience. Tout se passe en fait comme si le cerveau n'était qu'un filtre réducteur de conscience et que cette dernière ne pouvait s'exprimer pleinement que lorsque la matière cérébrale n'était plus en état de marche.

---

9. Possibilité d'obtenir des informations sur son passé.

10. Possibilité d'obtenir des informations sur son futur.

On peut concevoir dans ces conditions qu'une fois la conscience analytique éteinte, la conscience intuitive se libère et fonctionne au maximum de ses possibilités. Et c'est précisément cette conscience intuitive que l'on retrouve dans les états de conscience modifiée qui ont « mis en veilleuse » la conscience analytique par divers moyens : méditations, prières, respiration holotropique, hypnose, EMDR, expériences mystiques, transes chamaniques.

Pour pratiquer des anesthésies générales, nous pouvons utiliser une drogue à visée antalgique : la kétamine. Je ne suis pas le seul anesthésiste à avoir constaté que l'injection intraveineuse de ce produit induit chez les patients des états de conscience ressemblant beaucoup aux NDE typiques : expérience mystique, revue de vie, rencontre avec des défunts, tunnel, entrée dans la lumière d'amour, etc. En situation pré-mortem, une substance chimique appelée glutamate est libérée et vient stimuler un récepteur cérébral qui porte le nom barbare de NMDA (N-méthyl-D-aspartate). En faisant cela, le glutamate se comportera comme un neurotransmetteur tueur de neurones. Or, la kétamine agit en bloquant ces fameux récepteurs NMDA et va, par cette action, supprimer la mémoire reliée aux perceptions extérieures. Autrement dit, l'injection de kétamine permettra d'inhiber la conscience analytique en libérant la conscience intuitive reliée aux capacités extrasensorielles. Par conséquent, il est logique d'observer avec cette drogue des expériences similaires aux NDE.

Quand l'expérienceur est en état de mort clinique, sa conscience analytique est minimale, tandis que sa conscience intuitive tourne à plein régime en lui conférant des facultés extraordinaires. À la fin de l'expérience, la conscience analytique reprend le dessus pour interpréter le voyage mais son action ne sera plus jamais aussi importante qu'avant l'expérience. « *Quand j'étais dans la lumière, je savais tout sur tout. Je pouvais répondre à n'importe quelle question, mais maintenant je ne sais plus rien ou presque ; je ne sais qu'une seule chose : je sais que j'ai su !* », raconte Jean Morzelle une fois revenu de la mort après avoir reçu une balle de fusil en pleine poitrine[11]. « *J'ai toujours été nul en mathématiques et pourtant je pouvais résoudre à ce moment-là les opérations les plus complexes du monde. Les résultats me venaient sans que je n'aie besoin de faire le moindre effort de calcul* », poursuit-

---

11. MORZELLE J., *Tout commence… après : mes rencontres avec l'au-delà*. Éd. CLC, 2007.

il encore. Nulle nécessité de conscience analytique pour trouver le résultat ; celui-ci arrive par simple intuition.

Les transformations des expérienceurs

L'expérience transcendante vécue pendant une NDE bouleversera l'existence en priorisant la conscience intuitive. Les expérienceurs vont changer de système de valeur après leur NDE ; ils vont se détourner du côté matériel des choses pour donner de l'amour aux autres. Ils resteront définitivement persuadés qu'ils sont un « esprit » habitant un corps et que la vie se poursuit dans une autre dimension après la mort physique. Cette certitude leur donnera un bonheur et une sérénité caractéristique, qui se lit dans leur regard. Il n'est pas rare que j'identifie un expérienceur venant me rencontrer en consultation bien avant qu'il me dise quoi que ce soit ; il y a dans leurs yeux un indicible éclat qui est unique. Ils ont ramené avec eux un peu de cette lumière d'amour approchée pendant l'expérience et c'est elle qui brille tout autour d'eux quand ils arrivent vers moi en souriant. Alors, avant même qu'ils n'ouvrent la bouche, je sais qu'ils n'ont pas pris rendez-vous pour une consultation d'anesthésie, mais qu'ils sont plutôt là pour me raconter leur histoire.

La conscience pure

Les expérienceurs qui m'écrivent, qui viennent me voir en consultation ou qui me parlent à la fin de mes conférences m'apportent beaucoup de joie ; bien qu'il y ait de nombreuses similitudes dans leurs aventures extraordinaires, chaque récit est unique et je ne me lasse pas de les écouter. Ils pourront narrer inlassablement et avec la même émotion l'incroyable voyage transcendant qu'ils ont vécu hors de leur corps terrestre, car ils sont dans l'expérience dès qu'ils débutent leur récit.

J'ai eu la chance et le privilège de recueillir des centaines de témoignages de mort provisoire. Les expérienceurs m'ont donné un enseignement riche en informations scientifiques et spirituelles ; ils ont transformé ma vie et je ne les remercierai jamais assez pour cela. Ils furent – et ils continuent à être – mes meilleurs professeurs. Ils m'ont convaincu que le plus important que nous ayons à faire sur cette planète est d'apprendre à aimer. Aimer les autres, aimer les animaux, la nature, les fleurs, les minéraux ; toutes les créatures divines, y compris soi-même, car, insistent-ils, nous sommes tous des créatures de Dieu. Ceux qui sont momentanément passés de l'autre côté du voile m'ont ouvert les portes de la spiritualité et je souhaiterais rendre la pareille aux lecteurs de cet ouvrage en leur servant de modeste intermédiaire.

Quand les expérienceurs ont quitté leur corps au moment de leur arrêt cardiaque, ils ont pu « analyser » la situation en observant les tentatives de réanimation et les diverses réactions de l'entourage qui s'apitoyait sur leur sort. Ils avaient donc, à ce moment-là, une conscience analytique résiduelle qui leur permettait de situer l'événement dans le temps et dans l'espace. Le passage dans le tunnel est l'étape classique qui précède la rencontre avec la lumière d'amour. Au fur et à mesure de la progression, la conscience analytique est abandonnée au bénéfice d'une conscience intuitive qui se trouve exacerbée ; le descriptif fait par les expérienceurs correspond alors à des sensations et à des sentiments vécus avec une délocalisation complète du temps et de l'espace. Ils sont incapables de savoir où et quand se déroule l'action mais ils la vivent pleinement, en toute conscience, dans « l'ici et le maintenant ». La période du contact avec la lumière correspond à celle où la conscience intuitive est à son paroxysme. On peut concevoir qu'une fois débarrassée de toute conscience analytique, notre conscience soit devenue notre « moi » authentique ; notre conscience pure. Une conscience pure baignant intégralement dans une lumière d'amour inconditionnel.

Une entité désincarnée qui ne parvient pas à monter dans la lumière est envahie par sa conscience analytique. Chargée d'ego et de rancœur, elle cherchera désespérément à « réhabiter » son corps — le sien ou celui d'un autre — pour être de nouveau incarnée. Elle sera aussi capable d'influencer le récepteur cérébral d'un sujet vulnérable pour avoir une action ou un contrôle sur le monde matériel. Ces informations, aussi passionnantes que révolutionnaires, m'ont été données par des expérienceurs ayant fréquenté ce que certains appellent « le bas astral[12]. » Par exemple, l'expérience de mort provisoire négative vécue par Paul

---

12. Désigne l'endroit où se situent les entités qui n'arrivent pas à se dégager des valeurs matérielles terrestres.

L. à l'occasion de l'incendie de son appartement illustre parfaitement cela. Voici un extrait de son récit :

« [...] Je ne savais plus si les flammes au milieu desquelles je me trouvais étaient celles de l'enfer ou de ma chambre. Les deux pompiers qui me portaient ressemblaient à des cosmonautes. La gorge me brûlait chaque fois que j'essayais de respirer. J'ai très vite perdu connaissance. Ensuite, je me suis retrouvé dans la rue d'une ville que je ne connaissais pas. Cette ville était grise et sale. Il y avait un épais brouillard comme dans les vieux films d'épouvante tournés en noir et blanc. Les gens, qui marchaient en glissant comme s'ils n'avaient pas de pieds, avaient des disques blancs à la place du visage. C'était très angoissant comme situation car tous ces gens me poursuivaient et je devinais qu'ils me voulaient du mal. Je savais qu'ils voulaient m'avaler et que si les disques blancs parvenaient à m'atteindre, je disparaîtrais aussitôt dans un monde encore plus terrifiant. Je voulais m'échapper le plus vite possible. J'ai couru et je suis tombé enfin au-dessus d'une ville beaucoup plus connue puisque c'était mon quartier. De nouveau, les couleurs sont apparues et les gens étaient, cette fois-ci, normaux. Un médecin faisait un massage cardiaque sur mon corps. J'ai voulu l'encourager, car je voulais fuir cette situation angoissante et ces disques

blancs qui me poursuivaient. Je savais que le médecin comprenait ce que je lui disais par télépathie. Il me tardait de revenir dans mon corps. Je voulais à tout prix fuir les disques blancs et je serais rentré dans n'importe quel corps pour pouvoir les fuir… »

Dans cet exemple, l'expérienceur n'a pas rencontré la lumière. Son vécu, qu'il qualifie « d'angoissant », l'a poussé à vouloir réintégrer son corps le plus rapidement possible pour « fuir » la situation dans laquelle il était. Sa conscience analytique lui fit envisager toutes les solutions pour sortir de là ; encouragements du médecin réanimateur en sollicitant son récepteur cérébral par télépathie ou, encore plus surprenant, envisager l'incarnation dans un autre corps.

Les entités désincarnées qui rencontrent la lumière pendant une mort provisoire n'ont au contraire aucune envie de réintégrer leur corps. Une fois revenus à la vie, ces expérienceurs sont terriblement nostalgiques de ce moment privilégié qui reste pour eux l'expérience la plus belle de toute leur vie : « *[…] Aucun amour terrestre n'est capable de prodiguer un amour aussi beau et aussi puissant que celui que j'ai connu quand j'étais dans la lumière, et pourtant, j'aime énormément mon mari et ma petite fille, mais cet amour-là était des milliards de fois plus puissant. J'étais affreusement triste de devoir quitter la lumière…* » Extrait du témoignage de Josiane Villoce, victime d'un arrêt cardiaque lors d'une opération chirurgicale.

Il n'existe aucun texte religieux qui ne fasse référence à une « lumière divine ». Dieu est la « claire lumière » des enseignements tibétains. Le mot dieu dérive de la racine indo-européenne *dei* qui signifie « lumière brillante ». Cette appellation a donné des mots comme Zeus, *deus*, Jupiter, tous synonymes de divinité, mais également les mots *dies*, jour, diurne, qui se rapportent tous à la lumière. Que ce soit dans le Coran, « *Dieu est la lumière des cieux et de la Terre [...]. C'est une lumière sur la lumière, Dieu conduit vers sa lumière celui qu'il veut* », dans l'Évangile de saint Jean, « *La lumière créatrice sépare la lumière créée des ténèbres* », ou dans la Genèse 1, 3-4, « *Dieu dit : "Que la lumière soit." Et la lumière fut. Et Dieu vit que la lumière était bonne* », tous les messages sacrés font allusion à cette fameuse lumière rencontrée dans la plupart des expériences de mort provisoire.

CHAPITRE 2

L'émetteur-récepteur de consciences

Le modèle d'émetteur-récepteur de consciences que je propose pour expliquer le fonctionnement cérébral répond parfaitement aux interrogations suscitées par les expériences de mort provisoire et leurs phénomènes connexes. En effet, il est totalement impossible de comprendre qu'une conscience hyper performante existe lorsque le cerveau n'a plus aucune activité électrique décelable si l'on pense que cet organe est entièrement et uniquement responsable de toute sa production. En revanche, si l'on conçoit ce groupement de neurones comme un simple récepteur de conscience(s), il devient logique de constater que les expérienceurs sont en mesure de voir, d'entendre et d'intégrer leurs perceptions cognitives par l'intermédiaire d'une conscience délocalisée totalement indépendante du cerveau et de leurs différents capteurs sensoriels.

Le cerveau récepteur de consciences

Notre cerveau reçoit en permanence des informations multiples provenant de nombreuses consciences délocalisées[13]. Face à ce flux continu de données, il devra choisir, trier, en rejeter certaines ou en privilégier d'autres. Ce choix sera fortement dépendant de la conscience analytique qui demeure dans la matière et qui est, comme je l'ai précédemment indiqué, préférentiellement localisée dans le cerveau.

Les consciences délocalisées qui influencent notre cerveau sont :

<u>notre conscience pure ou intuitive,</u> qui représente notre « moi » authentique totalement débarrassé de son ego.

---

13. Situées en dehors du cerveau.

la conscience universelle, qui regroupe l'intégralité des connaissances acquises par l'humanité au fil du temps et des apprentissages.

la conscience divine, qui est la forme suprême et la plus aboutie de toutes les consciences.

les innombrables consciences d'entités désincarnées. Certaines, plutôt bienveillantes, essayent de nous guider favorablement dans nos actions, tandis que d'autres, mal intentionnées, tentent de nous déstabiliser ou de nous posséder pour nous conduire vers de mauvais choix et sur de mauvais chemins de vie.

Nous ne pouvons bien évidemment pas intégrer simultanément tous les messages qui nous sont destinés ; les informations que nous sélectionnons sont totalement subjectives et sous la dépendance de notre libre arbitre.

Enfin, pour être tout à fait complet, il faut préciser que dans certaines circonstances bien particulières des informations télépathiques provenant d'un autre cerveau émetteur peuvent être également reçues de la même manière.

Mise en pratique du mode « récepteur de consciences »

Un point commun concerne toutes les informations émanant des multiples consciences délocalisées qui nous entourent : il faut savoir éteindre le bruit assourdissant de notre conscience analytique pour pouvoir les écouter. Ce n'est qu'à cette condition que la connexion pourra se faire avec l'une ou plusieurs d'entre elles. Il est évident qu'une personne très ancrée dans le matériel refusera toutes ces influences extérieures et verrouillera ses pensées et ses actions dans des objectifs uniquement définis par sa conscience analytique. Elle restera bloquée dans un système exclusif qui ne laissera aucune place à la conscience intuitive. Dans ce cas-là, toute perception émergeante venant d'une information délocalisée sera assimilée à une simple « idée traversant l'esprit » qu'il faut éliminer au plus vite ou, encore pire, à une hallucination banale, due à une fatigue passagère.

Ces bases étant bien établies, on peut maintenant étudier la manière de se connecter à ces différents champs de consciences délocalisées.

Connexion à sa conscience pure

Elle nous donne les informations qui proviennent de notre véritable « moi » influençant notre chemin de vie. Pour être en contact avec sa conscience pure, il faut se débarrasser totalement de son mental et de son ego, tout en faisant abstraction du passé et du futur. Ceci revient donc à n'écouter que sa conscience intuitive, qui est dans « l'ici et le maintenant ». Notre conscience pure n'a aucun sentiment négatif de haine, de colère, de jalousie ou de rancœur. Elle nous permet d'évoluer en faisant les bons choix de vie. Méditer en se concentrant préalablement sur ces objectifs-là permet de la retrouver assez facilement. En ce qui me concerne, je fais appel à elle chaque fois que j'ai une décision importante à prendre. Pour ce faire, je m'isole dans un endroit calme et je répète mentalement plusieurs fois « ici et maintenant », en me concentrant exclusivement sur cette pensée, tout en imaginant un ressort que l'on remonte. Cette image de ressort facilite ma sensation de montée progressive en énergie positive. Ensuite, quand toutes mes idées parasites sont chassées de mon esprit et que je me sens entièrement présent dans l'ici et le maintenant, je prends une inspiration très profonde et j'expire longuement et lentement. Sans les identifier, j'imagine les pensées négatives de ma conscience analytiques expulsées par le souffle de mon expiration, tandis que les informations de ma conscience pure pénètrent en moi pendant l'inspiration. Je ne cherche pas à isoler ou à décrypter les informations, je les laisse couler en moi ; j'expulse le négatif, j'emmagasine le positif.

Expiration, inspiration, expiration, inspiration. Plusieurs fois. Ce n'est pas un hasard si le mot inspiration désigne à la fois un des deux temps principaux de la respiration mais aussi une impulsion qui porte à faire, à suggérer ou à conseiller une action. Il n'est pas nécessaire de prolonger trop longtemps ces mouvements respiratoires. Bien souvent, deux à trois minutes suffisent pour l'ensemble de l'exercice. Ensuite, j'oublie le but de ma méditation et je passe à autre chose. Il est bien rare que je n'obtienne pas dans la journée la réponse à la question que je me posais. Vous serez surpris des résultats si vous pratiquez cette technique.

Connexion à la conscience universelle

Nous nous connectons à elle spontanément et sans effort particulier. Cette banque de données demeure accessible à chacun d'entre nous. Simplement, nous sommes tous différents, et il faut accepter que cette connexion soit plus ou moins facilitée selon la nature et la capacité des individus. On pourrait imaginer la conscience universelle comme un immense nuage cosmique rempli d'informations. Au fil du temps, nos connaissances, nos intentions, nos apprentissages font croître cette nébuleuse de données supplémentaires. Notre conscience intuitive alimente la conscience universelle et puise en son sein les informations dont elle a besoin. Il y a donc un échange permanent entre elle et nous dans un système d'enrichissement mutuel. Ce n'est pas non plus un hasard si les grandes découvertes se sont produites quasiment simultanément en différents points de la planète ; des récepteurs cérébraux isolés, éloignés et indépendants ont en effet pu capter leurs idées ou leurs inventions à la même source universelle. Les génies n'ont pas fabriqué leurs trouvailles avec leurs petits neurones. Non. Ils ont cueilli leurs idées révolutionnaires dans le champ de la conscience universelle ! Tout ceci se déroulant, bien sûr, à l'insu des inventeurs, qui préfèrent pour la plupart paraître en totale autonomie. Il en est de même pour l'inspiration des artistes : musiciens, peintres, sculpteurs ou écrivains. Bon nombre de plagiats pourraient sans doute être expliqués de cette façon. Et, puisque cette conscience universelle grossit au fil du temps, il est logique de constater que nos apprentissages progressent eux aussi de la même manière. Ainsi, nous avons plus facilement appris à faire du vélo que nos grands-parents et nos enfants semblent plus doués que nous pour tout ce qui touche au domaine de l'informatique et des ordinateurs.

Si l'on sait que, pour trouver, il faut chercher – qui cherche trouve –, la plupart du temps, les gens ignorent comment et où chercher. Il semble raisonnable de penser qu'une partie de la réponse se situe dans la connexion avec la conscience universelle. Cette connexion pouvant se faire à n'importe quel moment et dans n'importe quelle circonstance ; l'inventeur s'écrira alors « Eurêka ! », sans savoir d'où lui vient son idée de génie.

Connexion à la conscience divine

Elle se fait, comme chacun sait, dans la prière et le recueillement. De préférence dans des endroits adaptés : églises, mosquées, synagogues, lieux sacrés. Ce dialogue avec Dieu est universel et intemporel. Mais si cette connexion est bien sûr facilitée dans ces situations privilégiées, elle n'est certainement pas exclusivement réservée à ces moments-là, car Dieu est partout : dans chacune de ses créations, dans le moindre atome de matière, et il suffit de l'appeler avec son cœur pour le trouver très vite. Ici, pas de recette, pas de « truc ». La connexion s'opère à chaque fois, car comme le soulignent les textes sacrés, son amour et sa miséricorde sont sans limite.

Connexion aux consciences d'entités désincarnées

Nous avons vu précédemment que la conscience continue à exister après la mort physique et que notre « moi » poursuit sa vie de l'autre côté du voile. Les consciences des entités désincarnées peuvent nous donner de précieuses informations. Nos chers disparus ont la capacité de nous venir en aide dès qu'ils le peuvent, comme ils le faisaient durant leur vie terrestre, et il ne faut surtout pas hésiter à les solliciter pour se faire guider.

Mon fils Laurent invoque souvent mon père décédé le 4 juillet 2006 pour obtenir de lui des conseils précis ; nous sommes toujours surpris et émus des réponses obtenues qui correspondent, la plupart du temps, à ses attentes. Un exemple parmi tant d'autres : Laurent se posait des questions sur la sincérité d'une relation récente qui venait de débuter avec une belle jeune fille. Doutant de l'honnêteté des sentiments de sa nouvelle compagne à son égard, il n'arrivait pas à savoir s'il fallait envisager une rupture rapide ou pas. Un soir en se couchant une nouvelle fois, seul, dans sa chambre, il pria et demanda à son grand-père de l'éclairer. Au cours de la nuit, celui-ci lui apparut en rêve pour lui conseiller la séparation, et au petit matin, la rose que mon fils avait offerte à son amoureuse tomba du vase. La fleur, qui était d'un rouge éclatant quelques heures plus tôt n'était plus qu'un pitoyable végétal entièrement fané gisant sur le plancher. Mais les choses ne s'arrêtent pas là. Le lendemain de ce fameux soir, Mireille Descloux, une médium que je connais bien, m'envoya un e-mail pour m'informer que mon père était entré en contact avec elle avec insistance pour lui dire que Laurent faisait fausse route en s'investissant dans une mauvaise relation amoureuse et qu'il communiquerait désormais avec son petit-fils par l'intermédiaire des roses ! La décision de Laurent fut bien sûr facilitée par toutes ces informations époustouflantes qui ne pouvaient être le fruit de simples « coïncidences ».

Autre exemple, celui de Marie-Thérèse F., qui est l'une de mes amies. Veuve depuis une dizaine d'années, elle demande souvent à son mari défunt de lui donner des informations sur des sujets précis. Un matin, alors qu'elle cherchait un papier important pour toucher un complément de retraite auquel elle avait droit, elle s'adressa à lui : « Mais bon sang, minou, dis-moi où tu as mis ce foutu papier ! » Aussitôt, elle fut guidée pour fouiller le tiroir d'une armoire dans laquelle elle n'aurait jamais pensé chercher quoi que ce soit et… elle trouva le fameux document ! Je reçois beaucoup de témoignages analogues et il serait fastidieux et répétitif de les rapporter ici.

Mais il faut savoir que les consciences désincarnées ne sont pas toujours bien intentionnées à l'égard des vivants. Aussi, je déconseille fortement aux personnes avides de sensationnel de se lancer seules et sans précaution dans une séance de spiritisme pour appeler les esprits. Lors d'une conférence que je faisais dans un ashram, une élève yogi me demanda ce qu'elle devait faire face aux attaques qu'elle subissait chaque fois qu'elle se mettait à méditer. Elle désespérait, car elle voyait apparaître des silhouettes noires menaçantes qui s'agitaient devant elle dès le début de chaque méditation. Cela lui faisait très peur et elle était régulièrement contrainte d'interrompre sa séance. Je lui répondis que la peur était un sentiment négatif fabriqué par la conscience analytique et que, dans ces situations, il fallait observer sa propre peur comme s'il s'agissait d'une émotion banale vécue par quelqu'un d'autre. Ce détachement lui permettrait de mieux se connecter à sa conscience intuitive, qui l'éloignerait de son mental. À l'inverse, un excès de conscience analytique renforcerait son angoisse, car sa peur d'avoir peur ne ferait qu'amplifier le phénomène. Et, puisque nous étions dans un ashram, je lui demandai de réciter quelques mantras avant chaque méditation. La prière étant un excellent moyen de protection pour éloigner les mauvais esprits. La plupart des médiums se mettent en prière avant d'obtenir des contacts avec des disparus, précisément pour éviter ce genre d'attaques.

Les médiums reçoivent leurs informations grâce à une conscience intuitive exceptionnellement bien développée. Cela ne les empêche pas de faire jouer de temps à autre leur conscience analytique au moment où ils délivrent des messages aux interlocuteurs venus chercher des informations auprès de leurs chers disparus. Et c'est bien là que réside la difficulté du travail du médium, qui doit dire ce qu'il voit, ce qu'il entend et ce qu'il perçoit sans interprétation personnelle. Autrement dit, sans être dominé par sa conscience analytique. Les informations des consciences désincarnées atteignent le récepteur cérébral du médium, qui sollicitera à son tour ses différents récepteurs sensoriels. Les messages seront reçus par voies auditive (« clairaudience »), visuelle (clairvoyance), olfactive (« clairolfactence ») ou tactile (« clairsentence »).

Il existe toutefois un autre type de médiumnité où le récepteur cérébral du médium est entièrement « habité » par la conscience de l'entité désincarnée. Dans ce cas précis, le médium ressemble point par point au défunt : physionomie, gestuelle, postures, mimiques, voix, etc. On parlera alors de médiumnité par incorporation. La conscience analytique du médium a totalement disparu et celui-ci ne gardera aucun souvenir de ce qui aura pu se passer pendant la séance.

L'écriture automatique est une variante de médiumnité par incorporation. La main du médium est entièrement guidée de façon incontrôlable par la conscience du désincarné. À la différence de l'écriture inspirée, le médium n'aura aucune conscience de ce qu'il aura pu écrire. Mon fils Laurent reçoit régulièrement des messages de son grand-père de cette façon là. Lorsqu'il établit le contact, sa main décrit des mouvements très amples sur le papier et on voit bien qu'il ne contrôle plus rien. La lecture des messages ne pouvant se faire qu'après la séance en essayant patiemment de décrypter les écritures. L'enregistrement audio que fait la mine de son crayon sur le papier au moment de l'écriture automatique donne des messages complémentaires qui confirment les inscriptions. Par exemple, au cours de l'un de ces contacts, alors que la main de mon fils venait d'écrire « Je vous aime, je vous vois », l'enregistrement audio nous donne très clairement les quatre prénoms des personnes qui assistaient à la séance ! Pour les lecteurs qui seraient intéressés par la médiumnité, je recommande la lecture du chapitre intitulé « Conseils médicaux pour exercer la médiumnité » du livre *La Médecine face à l'au-delà*[14].

Les médiums qui possèdent des récepteurs de consciences privilégiés peuvent, comme chacun d'entre nous, être sollicités par la conscience divine et recevoir, à l'instar de Catherine Emmerich, des informations à transmettre.

La connexion divine de Catherine Emmerich

Au cours de l'été 2011, le « hasard » m'a conduit à visiter la maison de Marie. L'endroit est situé en Turquie, sur une petite montagne boisée. Depuis cette modeste bâtisse, on voit, au nord-est, Ayasoulouk, la ville la plus proche, la plaine d'Éphèse, puis le Prion, des ruines en forme de fer à cheval, tandis qu'à l'ouest et un peu plus au sud, s'étend le bleu lumineux de la mer Égée avec, au loin, Samos et ses sommets multiples.

J'ignorais totalement l'existence de cette résidence mariale et ma curiosité m'a poussé à en savoir plus sur son

---

14. CHARBONIER J.-J., *La Médecine face à l'au-delà*. Éd. Guy Trédaniel, 2010, p. 225-236.

histoire. En fait, c'est au moment de sa crucifixion que Jésus-Christ aurait demandé à l'apôtre Jean d'emmener sa mère loin de Jérusalem, pour la protéger de ceux qui combattaient violemment le christianisme. Saint Jean exauça la volonté de Jésus et installa Marie sur la montagne de Panaya Kapulu, à une quinzaine de kilomètres de la ville païenne d'Éphèse, où les habitants vénéraient la déesse Artémis. Les papes Léon XII, Pie X et Léon XIII ont tous reconnu que la Vierge aurait séjourné dans cette bâtisse pendant plus de quarante ans. Et, bien que sa sépulture ne fût jamais retrouvée, on peut raisonnablement penser qu'elle coula ses derniers jours dans cette minuscule demeure.

Mais le plus étonnant est la découverte relativement récente de ce lieu de pèlerinage, par l'intermédiaire des qualités médiumniques d'une religieuse qui, connectée à la conscience divine, a décrit parfaitement l'emplacement de la maison de Marie sans avoir jamais mis les pieds dans la région.

En 1822, Catherine Emmerich eut une vision. Elle ne connaît pas du tout la Turquie, mais parle avec force détails d'un endroit précis situé dans ce pays-là, où aurait longtemps vécu la mère du Christ, et elle annonce sans détour que cette habitation sera un jour découverte. Un livre est aussitôt édité, qui fait état de sa prédiction.

C'est en 1869, à Grégy, près de Melun, qu'Eugène Poulain entend parler pour la première fois de la voyante, par la bouche du père Denys, ancien supérieur du grand séminaire de Carcassonne. Eugène Poulain est alors un jeune prêtre de vingt-cinq ans qui se moque ouvertement des lectures sulfureuses de son professeur. À la différence du vénérable père, le jeune homme pensait que cette Catherine Emmerich était une folle et qu'il était tout à fait déshonorant et scandaleux d'accorder le moindre crédit à ses propos.

Pourtant, vingt ans plus tard, il sera contraint de changer radicalement d'avis. Nous sommes en 1890, et Eugène Poulain cherche un ouvrage dans la bibliothèque du monastère car il a été désigné pour faire la lecture au réfectoire. Il prend une pile de livres « au hasard » sur l'une des nombreuses étagères et tombe sur le fameux rapport de Catherine Emmerich, ou plutôt c'est le livre qui lui tombe dessus, puisque celui-ci heurte sa tête en chutant. Furieux de reconnaître en ces lieux chrétiens le bouquin de la voyante, il le range dédaigneusement sur le côté de sa table de travail et sélectionne un ouvrage parmi ceux qu'il vient d'extraire de la grande bibliothèque. Une fois son choix fait, il remet en place tous les volumes sur l'étagère, sans oublier celui d'Emmerich. Mais le lendemain matin, ô surprise, l'œuvre maudite est de nouveau sur son bureau ! Patient, le prêtre le replace sur l'étagère. Mais le jour suivant, le livre est encore et toujours sur son bureau. Il le range alors à un autre endroit de la bibliothèque, mais peine perdue, vingt-quatre heures après, le texte médiumnique se retrouve à la même place. Le phénomène se reproduisit trois fois de suite. N'y tenant plus, le quatrième matin, le père Poulain s'énerve ; il jette violemment le vieil opuscule sur le plancher, ce qui le casse en deux. Contre toute attente, le lendemain, l'amas de papier jauni à la reliure disjointe gît toujours sur le plancher et le père s'étonne que personne ne l'ait ramassé, pas même le personnel très méticuleux chargé de faire le ménage. Les choses restent ainsi une semaine durant. Pris de remords et intrigué par tous ces phénomènes inexplicables, Eugène Poulain commence à lire honteusement quelques lignes du livre, puis quelques pages. Il passera toute la nuit éveillé, littéralement transporté par le récit de Catherine Emmerich.

À partir de ce jour-là, sa passion pour la prédiction de la voyante fut telle qu'il mit tout en œuvre, toute son énergie et toutes ses économies pour monter une expédition avec quatre de ses fidèles amis pour retrouver la maison de Marie en Turquie. Arrivée sur place, la petite équipe d'explorateurs n'eut pas à chercher bien longtemps. Catherine Emmerich avait parfaitement bien localisé l'endroit ; la petite maison de pierre perdue au beau milieu de la montagne de Panaya Kapulu était bien là ! Le pape Benoît XVI déclara un siècle plus tard en visitant les lieux : « Jean, qui s'est rendu à Éphèse, a pris avec lui la Vierge Marie, et cette heureuse mère s'est envolée d'ici vers les cieux. » Catherine Emmerich qui était très peu cultivée et qui n'avait jamais voyagé avait été connectée à la conscience divine pour révéler au monde où avait séjourné la mère de Jésus-Christ pendant quarante-trois ans.

Connexions aux consciences incarnées, télépathie

Notre récepteur cérébral perçoit une foule d'informations dont nous ignorons le plus souvent la provenance. On se demande, bien souvent inquiets : mais pourquoi je pense à lui ou à elle maintenant, alors que l'on s'est perdu de vue depuis des mois, voire des années ? Tiens, et si je prenais de ses nouvelles ? Pourquoi ne pas lui téléphoner maintenant, là, tout de suite ? Et, au moment même où vous alliez composer le numéro de téléphone, celui-ci se met à sonner. Vous décrochez et là, ô surprise, c'est l'ami(e) ou le parent que vous vouliez contacter qui vous parle ! Chaque fois que je raconte cette histoire à quelqu'un, on me répond que l'événement est banal et presque courant. Comment une coïncidence aussi étonnante que celle-ci pourrait être si répandue s'il n'y avait aucune explication logique ? En fait, ici encore, le modèle du cerveau émetteur-récepteur de consciences permet de comprendre le phénomène. La conscience intuitive de celle ou de celui qui pense à vous émet des vibrations énergétiques qui vous sont destinées. Et votre récepteur cérébral les reçoit cinq sur cinq comme disent les pompiers dans leurs messages radio. Votre système mnésique[15] s'active et vous pensez immédiatement à celle ou à celui qui pense à vous. C'est aussi simple que cela ! Dans les expériences de mort provisoire (EMP ou NDE), les expérienceurs disent avoir deviné les pensées de celles et ceux qui les entouraient au moment de leur arrêt

---

15. Fonction cérébrale relative aux différents circuits de la mémoire.

cardiaque. Ce phénomène est récurrent et fait quasiment partie des invariants des séries de témoignages que j'aie étudiées. Quand on sait que les expérienceurs ont une conscience intuitive exacerbée au moment de leur EMP et que c'est précisément cette forme de conscience qui permet d'obtenir les meilleures capacités de réception, on comprend que les récits de télépathie soient aussi nombreux dans ces circonstances.

J'ai débuté en décembre 2007 une étude prospective sur les possibilités télépathiques chez les comateux. Ce travail vise à recueillir des témoignages de soignants – médecins, infirmières et aides-soignants – disant avoir reçu des informations télépathiques de la part des comateux dont ils étaient chargés. Il semblerait en effet que certains comateux soient en mesure non seulement de deviner les pensées de leur entourage, mais aussi d'émettre des informations télépathiques destinées aux soignants et aux personnes qui leur sont chères. Je dispose aujourd'hui d'une cinquantaine de cas probants qui feront l'objet d'une publication ultérieure. Ces soignants disent avoir modifié leur prise de décision sur un acte médical concernant un comateux en ayant été influencés par une idée dont ils ignoraient la provenance, mais qui pourrait bien avoir été donnée par le patient en question. Par exemple, une infirmière déclare avoir été appelée par télépathie au chevet d'un comateux pour le tourner sur le côté. Elle n'avait aucune raison logique d'entreprendre cette manœuvre, qui lui a néanmoins permis de retirer une aiguille qui blessait le dos de la personne apparemment totalement inconsciente. Pour ma part, j'ai un jour aspiré un mucus qui bouchait la sonde d'intubation d'une comateuse alors que je n'avais aucune raison d'entreprendre ce geste. À son réveil, la jeune femme me déclara : « Merci de m'avoir écoutée. C'est moi qui vous ai dit d'aspirer ce bouchon dans ma sonde ! » Il faut savoir qu'au moment des faits, la comateuse avait du sparadrap sur les yeux et une sonde d'intubation qui passait au beau milieu de ses cordes vocales. Il lui était donc normalement totalement impossible de me voir ou de me parler ! Comment aurait-elle pu me communiquer cette information en dehors d'une possibilité télépathique ? J'ai également, une autre fois, ressenti une idée obsédante me conduisant à fouiller dans le portefeuille d'un comateux pour trouver un papier essentiel à la poursuite de sa réanimation. Je jure que je n'ai jamais fouillé dans les portefeuilles de mes malades et je me demandais bien pourquoi je tenais absolument à faire cette investigation saugrenue. Totalement incompréhensible ! À moins d'admettre que ce soit le comateux lui-même qui me l'ait demandé par télépathie…

Je reçois également beaucoup de courriers de mamans qui me disent avoir été alertées par télépathie que leurs enfants étaient en difficulté. Ainsi, cette mère qui soutient avoir été réveillée par de violentes secousses en pleine nuit, au moment même où son fils vivait un tremblement de terre à Los Angeles, de l'autre côté de l'Atlantique. Une autre me raconte avoir eu une crise de larmes inexpliquée accompagnée d'une envie impérieuse de téléphoner à son fils. En apprenant que celui-ci venait de faire un accident vasculaire cérébral, elle pensa immédiatement que c'était lui qui l'avait alertée par télépathie. Sans en connaître les raisons, j'ai beaucoup plus de témoignages de relations télépathiques entre les mères et leurs enfants qu'entre les pères et leur progéniture. Ah, l'instinct maternel ! Quoi qu'il en soit, si un jour vous pensez brusquement à quelqu'un, il y a de fortes chances pour que cette personne soit elle aussi en train de penser à vous. Alors, faites-moi plaisir, prenez votre téléphone et appelez-la.

Le cerveau émetteur de consciences

Jésus a dit : « Demande et tu recevras. » Et il se trouve que nous sommes pourvus d'un cerveau dont la fonction émetteur-récepteur dépasse de loin les plus puissantes technologies inventées à ce jour. Nous avons vu que les capacités de réception télépathique franchissent les océans et n'ont aucune limite temporelle pour contacter les consciences d'entités disparues de la surface de la planète ou pour s'adresser à Dieu.

Oui, bien sûr, pour recevoir, il faut demander. Et cette demande se fait par le recueillement et la prière. En priant, tout devient possible et nous sommes à chaque fois entendus. Au moment voulu, nous pouvons émettre des pensées, des souhaits, des supplications pour recevoir des idées, de l'inspiration, de la prémonition ou même des actions bien concrètes. Nous pouvons solliciter notre conscience pure, la conscience universelle, la conscience divine, les consciences désincarnées pour nous aider, nous guider et attendre la réception d'un message, en laissant de côté notre ego et notre conscience analytique, car la prière ne peut se faire qu'en dehors du mental et dans la plus grande humilité. La prière est avant tout un échange d'amour par l'action ou la pensée. Et ce n'est pas un hasard si la plupart des postures physiques employées pour prier par tous les habitants de cette planète sont celles qui évoquent la soumission et l'humble attente. Le cerveau, débarrassé au maximum de toutes pensées analytiques ou critiques, va pouvoir émettre un champ de conscience positif qui sera perçu au-delà de toutes les limites spatio-temporelles. La prière guide et protège. C'est l'outil le plus puissant pour exercer sa spiritualité. Et ceci quelles que soient les religions ou les philosophies. Dans le livre *La Médecine face à l'au-delà,* je consacre quarante pages à expliquer la puissance de la prière dans la guérison spirituelle[16]. Il n'existe pas de médicament plus puissant que la prière.

---

16. CHARBONIER J.-J., *La Médecine face à l'au-delà.* Éd. Guy Trédaniel, 2010, p 85-126.

Mise en pratique du mode « émetteur de consciences »

Pour se connecter à un récepteur cérébral et lui envoyer des informations télépathiques, il faut se débarrasser de toutes les idées parasites de la conscience analytique et se concentrer sur sa « cible ». Personnellement, pour réaliser ce mode de connexion, je m'isole dans un endroit calme ; ce peut être dans ma chambre, allongé sur le lit, ou en pleine nature, assis face à un paysage reposant, ou bien encore couché dans l'herbe, à contempler le ciel. J'essaye d'être le plus détendu possible. Je ferme les yeux, je respire lentement et profondément. Tous mes muscles sont relâchés et j'imagine que mon corps n'existe plus ; je ne suis plus que l'esprit qui l'habite. Je pense à la personne choisie jusqu'à ce que son image apparaisse dans mon esprit. C'est durant cette courte période que la transmission télépathique est possible. Dès que ma cible est devant moi et que son regard croise le mien, je sais que c'est le moment de lui délivrer mon message. Celui-ci est généralement destiné à donner du courage, de la force et de l'énergie pour une épreuve à affronter : un examen à passer, une maladie, un entretien d'embauche, une opération chirurgicale, etc. Et ça marche ! Je suis persuadé que ça marche !!! Il m'est arrivé bien souvent de recevoir un coup de téléphone ou un e-mail de la personne sur laquelle je me concentrais seulement quelques minutes ou quelques secondes plus tôt. Essayez, vous serez surpris des résultats ! On peut aussi faire appel à des proches disparus, soit pour leur apporter de l'aide dans leur évolution dans l'au-delà, soit pour leur en demander dans un moment particulièrement difficile ou douloureux. La technique reste la même. Dans ce cas-là, la cible n'est plus un récepteur cérébral mais une entité désincarnée ; la relation se fait donc d'esprit à esprit et il faut faire appel aux images que l'on a mémorisées de leur vivant.

Enfin, l'émission d'information peut se faire en direction de Dieu et de l'univers tout entier, dans un acte de prière qui doit être surtout et avant tout un message d'amour inconditionnel. La prière est un acte personnel qui peut se faire de différentes façons, en fonction de sa culture et de sa religion. Que l'on récite des mantras, des psaumes, des versets ou d'autres prières, cette connexion divine ne peut fonctionner que si elle est sincère et faite avec et par le cœur.

CHAPITRE 3

D'où venons-nous ?

Il est bien rare qu'à la fin d'une de mes conférences, il ne se trouve pas une personne qui saisisse le micro pour me demander : « Pouvez-vous nous dire ce que vous pensez de la réincarnation ? » Jusqu'à ce jour, je « bottais en touche » en disant que cette hypothèse me semblait davantage relever du domaine de la croyance que de la connaissance scientifique et que je n'avais, par conséquent, aucun avis personnel à formuler en public. Ne voulant surtout pas passer pour quelqu'un qui ferait du prosélytisme, je me contentais volontiers de cette réponse très neutre. Je me définis en effet comme un médecin anesthésiste réanimateur indépendant de tout dogme sectaire, religieux ou philosophique ; une sorte d'électron libre se nourrissant de données scientifiques, mais aussi de recherches, tant professionnelles que spirituelles.

Aujourd'hui, ma position sur le sujet est plus nuancée car mon expérience me pousse à penser que l'hypothèse de la réincarnation repose sur des faits pouvant s'expliquer d'une autre manière, en particulier celle que je développe longuement dans mes interventions publiques et mes écrits, à savoir la théorie du « cerveau émetteur-récepteur de consciences ».

Attention, que les choses soient bien claires : je ne prétends pas que la réincarnation n'existe pas, loin de là. Je dis simplement que les preuves qui servent classiquement d'arguments pour l'authentifier de façon formelle ne tiennent plus devant la modélisation que je propose. Cette nouvelle façon de concevoir le fonctionnement cérébral permet en effet d'intégrer des notions actuellement rejetées par la majorité de la communauté scientifique, comme les expériences de mort provisoire (EMP), la télépathie, les intuitions, les prémonitions, la prière ou encore la médiumnité. Ces phénomènes sont volontairement écartés dans une sorte d'omerta collective occidentale, car totalement inexpliqués par le concept matérialiste du « cerveau sécréteur de conscience ». Le déni restant effectivement la seule posture possible pour ceux qui demeurent figés dans la croyance scientiste de la philosophie matérialiste.

Alors, me direz-vous, pourquoi cette nouvelle conception du fonctionnement cérébral permettrait-elle d'écarter ce qui est encore aujourd'hui considéré par certains comme étant des preuves de la réincarnation ?

L'argumentaire des « réincarnationistes » :

La reconnaissance de lieux inconnus

Des travaux scientifiques comme ceux du Dr Ian Stevenson[17] ont montré que des enfants étaient capables d'identifier des lieux où ils ne s'étaient jamais rendus. Ceci ne veut pas forcément dire que ces bambins se soient réincarnés. La conscience du disparu peut avoir sollicité le

---

17. STEVENSON I., *20 cas suggérant le phénomène de réincarnation.* éd. J'ai Lu, 2007.

jeune récepteur cérébral pour lui donner des informations lui permettant de reconnaître des lieux ou des personnes de sa vie terrestre. Un cerveau de moins de sept ans étant moins influencé par le jugement et l'analyse que celui des adultes, ces informations spontanées et naturelles, émanant de consciences délocalisées, parviennent d'autant mieux à leur cible de prédilection. Certains enfants prodiges se mettent, par exemple, à jouer du Mozart dès l'âge de quatre ans grâce à cette possibilité de connexion privilégiée sans pour autant être des réincarnations du célèbre compositeur. Il pourrait donc aussi bien s'agir, de mon point de vue, d'une perception médiumnique exacerbée durant cette période de la vie que d'une véritable mémoire de vie antérieure. Les garçonnets et les fillettes qui jouent et qui parlent avec des amis invisibles sont légion. Le récepteur cérébral d'un adulte est plus analytique et critique que celui d'un gamin. Face à ces informations venues de l'au-delà sous forme de flashs, celui-ci aura trois solutions : les rejeter et les oublier très vite (cas le plus fréquent), les assimiler et les exploiter (prémonitions, médiumnités, inspirations artistiques) ou au contraire se laisser envahir (possession).

Les stigmates de vies antérieures

C'est encore le Dr Ian Stevenson[18] qui a révélé la présence de cicatrices pouvant être des séquelles de traumatismes vécus dans des vies antérieures. Par exemple, une marque apparue sur le cou de celui qui a dû être pendu dans une autre existence ou encore une lésion cutanée sur le thorax de celle qui a été précédemment mortellement blessée à cet endroit-là par une arme blanche. Quand on sait que l'esprit, et donc la conscience, est en mesure d'avoir des effets sur la matière (télékinésie et psychokinèse), il n'y a rien d'étonnant à concevoir que l'influence de la conscience du disparu puisse également agir sur le corps d'une cible via la réception cérébrale de son destinataire. Les effets du stress ont des répercussions bien connues sur la peau (eczéma, urticaire, etc.), mais aussi sur l'organisme (ulcères, infarctus, etc.), par l'intermédiaire d'un relais cérébral, qui analyse la nature de l'agression. Le sujet « possédé » et même envahi par la conscience du défunt pourra, dans ces conditions, développer les traces de traumatismes du disparu sans en être pour autant sa réincarnation. En ce qui concerne les stigmates congénitaux comme les marques

18. *Id ; ibid, op., cit.*

ou taches de naissance, la conscience ou l'esprit possesseur du disparu pourrait, dans ce cas, modifier directement la structure génétique moléculaire de sa cible sans passer par le cerveau.

Les impressions de « déjà-vu »

Ce sont aussi des arguments employés pour suggérer une réincarnation : nous aurions ces sensations particulières d'avoir déjà vécu une situation précise car elle se serait déroulée dans une de nos vies précédentes. C'est ce que voulut exprimer Alphonse de Lamartine (1790-1869) en écrivant : « *Je n'ai presque jamais rencontré en Judée un lieu ou une chose qui ne fût pour moi comme un souvenir. Avons-nous donc vécu deux fois, ou mille fois ?* » Je ne pense pas que cela soit une démonstration valable.

Notre émetteur-récepteur cérébral est capable de grandes performances lorsqu'il se connecte à ce que j'appelle « une conscience source » ou « une conscience universelle » délivrant des informations du passé (rétrocognition) ou du futur (précognition). Nous savons que les expérienceurs et les médiums ont accès temporairement à cette véritable banque de données et sont parfois en mesure de prédire l'avenir ou de deviner un passé. Dans une moindre mesure, chacun d'entre nous est capable d'établir cette connexion pour avoir des intuitions ou des prémonitions. Les impressions de déjà-vu pourraient donc être, dans ces conditions-là, des réminiscences d'informations pré-cognitives ou historiques plutôt que des souvenirs d'une vie antérieure.

Les évolutions karmiques

Dans cette hypothèse, notre progression se ferait grâce à une succession d'incarnations dont la difficulté serait fonction de nos fautes commises dans les vies antérieures. Le philosophe romain Cicéron (106-43 av. J.-C.) déclara lors de l'un de ses célèbres discours : « *Les erreurs et les souffrances de la vie humaine me laissent supposer que les hommes naissent sur la Terre afin de réparer les fautes qu'ils ont commises dans leurs vies anciennes.* » En dehors du fait que cette notion peut culpabiliser celui qui est victime d'une singulière malchance, d'une santé pitoyable ou d'une vilaine infirmité – il n'a que ce qu'il mérite, c'est son karma –, que faudrait-il penser d'un enfant mort-né ? A-t-il « besoin » de faire ce très bref aller-retour sur Terre pour évoluer ? Est-il d'ailleurs absolument nécessaire de revenir sur la planète pour bénéficier de transformations qui aident à avancer positivement au fil de vies successives ? N'existe-t-il pas des moyens de progression dans l'au-delà dans différentes sphères comme nous le disent la plupart des médiums ? Difficile aussi de concevoir un ancêtre protecteur, un guide spirituel ou un saint déjà réincarné, surtout lorsque l'on s'adresse à eux dans la prière. Lors d'une conférence, une maman me dit à ce propos : « Ma fille Camille est morte en deux mois, à l'âge de vingt-deux ans, d'une leucémie foudroyante. Ceux qui prétendent que c'était son karma me révoltent et je n'aimerais surtout pas la savoir réincarnée quelque part sans que je puisse la voir. Cette idée m'est insupportable ! » Mal comprise, la notion de karma peut être aussi traumatisante que redoutable… Cette mère, qui assistait régulièrement à des séances de médiumnité en salle, nous annonça ensuite qu'elle avait obtenu, par l'intermédiaire de médiums, des nouvelles de sa fille dans l'au-delà et que cela la rassurait énormément. Que se passerait-il si cette femme trouvait un beau jour dans son entourage une enfant qu'elle identifierait comme étant la réincarnation de Camille ? Ce pourrait être le scénario d'un terrible thriller ayant pour point d'orgue le kidnapping d'une petite fille… On voit bien, là, les dangers des théories réincarnationistes si elles sont mal expliquées ou mal intégrées.

Les régressions sous hypnose

Certains chercheurs comme le Dr Brian Weiss[19] disent guérir certaines maladies en identifiant et en dénonçant le traumatisme initial responsable non pas dans la petite enfance, comme dans la thérapie freudienne, mais dans les vies antérieures. Par exemple, une jeune patiente qui a peur de prendre l'avion trouvera l'origine de sa phobie en apprenant sous hypnose qu'elle était pilote de chasse et qu'elle fut abattue lors d'un combat aérien. Il est indéniable que les résultats thérapeutiques du Dr Weiss sont probants, mais on peut aussi considérer que, dans l'exemple cité, la patiente fut toute sa vie possédée par un esprit désincarné qui avait vécu un tel épisode et que celui-ci l'ait quittée au moment de son identification. Cela semble être tout aussi logique. Il s'agirait donc d'une reconnaissance d'entité démasquée sous hypnose et non pas d'une régression.

---

19. WEISS B.L., *Nos Vies antérieures, une thérapie pour demain.* Éd. J'ai Lu, 2005.

L'esprit possessif se mettant à parler par la bouche de la possédée au moment de l'hypnose.

D'autres faits auraient aussi tendance à mettre à mal la thèse de la réincarnation :

La médiumnité

Comment comprendre un contact médiumnique avec un défunt disparu depuis plusieurs dizaines ou centaines d'années si une réincarnation s'est déjà produite ? Comment pourrait s'établir l'improbable dialogue si l'esprit habitait simultanément un autre corps ? On peut répondre que la notion de temps n'est pas la même que la nôtre de l'autre côté. Les expérienceurs nous le disent bien : le temps n'existe pas quand ils sont dans la lumière. Nicole Dron, qui a connu un arrêt du cœur au cours d'une chirurgie particulièrement hémorragique, a écrit un livre pour raconter son expérience. Le titre qu'elle a choisi est révélateur : *Quarante-cinq secondes d'éternité*. Un temps très court à l'échelon terrestre peut donc sembler très long pour celui qui traverse cette expérience hors du commun. Inversement, certains expérienceurs ont des possibilités de *revue de vie* et voient défiler toute leur existence terrestre dans les moindres détails au cours d'un état de mort clinique qui ne dure souvent que quelques secondes. On peut donc concevoir que l'esprit désincarné ne se réincarne pas tout de suite et mette plusieurs dizaines ou plusieurs centaines d'années avant d'habiter un autre « véhicule terrestre ». Il existe probablement aussi des esprits supérieurs arrivés en fin d'évolution qui ne se réincarneront pas. Par exemple, certains médiums entrent en contact avec l'esprit désincarné du père Pio, qui est pour beaucoup un guide spirituel extrêmement puissant.

Les incorporations

Les esprits peuvent investir l'intégralité du récepteur cérébral de leurs cibles, exactement comme dans l'écriture automatique, lors de laquelle le médium n'a absolument pas conscience de ce qu'il écrit en état de transe. Il s'agit parfois d'esprits évolués et particulièrement doués, ce qui donne au médium des capacités thérapeutiques comme a pu en avoir Georges Chapman, simple plombier, qui était régulièrement incorporé par le célèbre ophtalmologue William Lang, mort en 1937. Comment cette incorporation aurait pu être possible si le Dr William Lang avait déjà été réincarné au moment des faits ? Jean-Marie Legall[20] soigne actuellement ses patients de la même manière que le faisait Georges Chapman et c'est l'épouse de ce célèbre médium qui a reconnu en lui le successeur de son mari. Le Dr William Lang est donc loin d'avoir terminé son travail.

Les fantasmes de la « carnation »

Il est sûr que nous sommes tous et toutes plus ou moins attachés à la matière et aux plaisirs terrestres comme faire l'amour, boire du bon vin, goûter un plat succulent, prendre un bain de soleil, nager, etc. Pour certains, l'idée de quitter de façon définitive tous ces plaisirs terrestres semble insupportable et cette crainte suprême ne sera calmée que par l'idée d'une possibilité de réincarnation. Ils trouveront un apaisement considérable par cette croyance. Le célèbre industriel automobile Henry Ford (1863-1947) déclara : « Avant que je ne connaisse l'enseignement de la réincarnation, j'étais sans appui et insatisfait, comme

20. LEGALL J.-M., *Contacts avec l'au-delà : un médium témoigne*. Éd. Lanore, 2006.

sans boussole… La découverte de l'enseignement de la réincarnation m'a rendu serein. » Autre argument décisif pour les réincarnationistes : si on ne parvient pas à réussir sa vie, à remplir totalement ses propres objectifs, on aura une autre chance pour les satisfaire dans une vie future. *« Puisque je crois en la réincarnation, je vis dans l'espoir que, sinon dans cette vie humaine, du moins dans une autre, je pourrai embrasser l'humanité en une fraternelle accolade. »* Gandhi (1869-1948).

Les médiums nous disent que certaines entités qui stagnent dans le bas astral sont si profondément attachées aux valeurs matérielles de cette planète qu'elles auraient beaucoup de difficulté à évoluer sur un autre plan. Dans le cas où ces entités comprennent qu'elles ne font plus partie du monde matériel – ce qui ne serait pas toujours le cas, puisque certaines « personnalités » ignoreraient totalement appartenir au monde des morts –, elles ne rateraient pas une seule tentative de possession pour essayer en vain de revivre une incarnation… Mais ceci est sans compter la connaissance de cet amour inconditionnel et indicible rencontré dans la lumière au cours des expériences de mort provisoire, car, à en croire les expérienceurs, il est sans commune mesure avec n'importe quel plaisir terrestre !

Un problème d'arithmétique !

Je me souviens de la réflexion de cette auditrice qui m'a interpellé à la fin d'une conférence : « Mais docteur, je ne comprends pas, si nous nous réincarnions tous après notre mort, on devrait être beaucoup plus nombreux que ça sur cette Terre : où sont passés tous ces gens ? » En suivant sa logique, on pourrait aussi lui répondre que nous ne sommes sûrement pas seuls dans l'univers et que d'autres incarnations peuvent être possibles, dans d'autres mondes que le nôtre. Mais en réfléchissant mieux à ce problème d'arithmétique, on se rend bien compte que le raisonnement de cette dame est faux. En effet, si chaque esprit s'incarne dans un corps différent au début de chacune de ses vies successives, à la manière d'un groupe de pilotes venant prendre possession d'un stock de voitures garées, la population devrait être aussi stable et constante que le nombre de voitures pilotées ! La quantité d'esprits incarnés serait donc constante. D'accord, mais alors, pourquoi la population mondiale augmente-t-elle de façon régulière ? Tout simplement parce que les pilotes ne prennent pas le départ en même temps et que les courses deviennent de plus en plus longues ; l'espérance de vie augmente, faisant progresser le nombre de « véhicules terrestres habités ».

Les textes sacrés

On l'aura bien compris, je ne suis ni un farouche défenseur de la réincarnation ni un de ses opposants acharnés. Je me pose des questions, c'est tout ! J'ai reçu une éducation catholique, qui rejette cette thèse et qui doit sans nul doute influencer ma prise de position très timorée. Il en serait probablement tout autrement si j'étais un bouddhiste pratiquant né au Tibet. Ce que je voulais exprimer ici, c'est que, si nous avons aujourd'hui des preuves rationnelles et scientifiques pour reconnaître qu'il existe bien une Vie après la vie[21], en ce qui concerne la réincarnation, nous n'en avons pas encore trouvé une seule réellement probante. À la fin de sa vie, Ian Stevenson reconnut lui-même avec humilité – et une grande honnêteté après toutes ses années de recherche et d'investigation sur le sujet – que la réincarnation appartenait encore au domaine de la croyance. Lorsque j'évoque mon éducation catholique

---

21. CHARBONIER J.-J., *Les Preuves scientifiques d'une Vie après la vie*. Éd. Exergue, 2008.

pour exprimer mes réticences (et non pas mon opposition) à admettre la réincarnation, il faut quand même préciser que je n'adhère pas à cent pour cent à cette religion qui me semble actuellement trop formaliste sur certains points précis ; sur l'usage des préservatifs en particulier. À ce propos, il faut néanmoins admettre que certains passages de la Bible sont troublants. Il est notamment question, à un moment donné, de la guérison d'un aveugle de naissance. *« Jésus vit, en passant, un aveugle de naissance. Ses disciples lui demandèrent : "Rabbi, qui a péché, lui ou ses parents, pour qu'il soit né aveugle ?"* » (Jean 9,1-2). En posant cette question à Jésus, ses disciples émettent l'hypothèse que l'homme, infirme dès sa naissance, aurait pu commettre des péchés avant de venir au monde et donc, en toute logique, dans une vie antérieure. Et dans sa réponse, Jésus ne nie absolument pas cette éventualité. D'autre part, dans l'*Ancien Testament*, il est écrit : « *[…] parce que j'étais bon, j'étais venu dans un corps sans souillure* » (Livre de la sagesse, attribué à Salomon, 8, 19-20) ou encore, à propos du prophète Jérémie : « *Avant que je t'eusse formé dans le ventre de ta mère, je te connaissais ; et avant que tu fusses sorti de son sein, je t'avais consacré, je t'avais établi prophète des nations.* » (Jérémie 1, 4-6)

Après la mort de Jésus, les différents rapporteurs de sa parole, qui ont influencé le mouvement spiritualiste chrétien, étaient bien loin d'exclure la réincarnation de leurs discours. Saint Augustin (354-430) déclara : « *N'ai-je point vécu dans un autre corps avant d'entrer dans le sein de ma mère ?* » Grégoire de Nysse (335-395) affirma : « *C'est une nécessité naturelle pour l'âme de se purifier à travers de multiples vies.* » Origène (115-254) fut sans conteste le théologien le plus influent pour établir les dogmes de l'Église chrétienne durant les quatre premiers siècles de notre ère. Fervent défenseur de la réincarnation, il proclama : « *Chaque âme vient en ce monde, fortifiée par les victoires ou affaiblie par les échecs de ses vies antérieures.* » Deux siècles après la mort d'Origène, les adeptes de son enseignement dogmatique furent jugés trop « encombrants » pour l'autorité de l'empereur Justinien. Ce dernier demanda le précieux soutien de la puissante autorité religieuse de l'époque pour éradiquer de façon définitive l'influence de ces énergumènes qui mettaient à mal son autorité. Ce fut chose faite en 553. Le deuxième concile de Constantinople condamna l'intégralité de l'enseignement d'Origène – y compris la réincarnation – et menaça de la très redoutable excommunication toute personne qui s'en réclamerait. Depuis, les choses n'ont pas beaucoup changé au sein de l'Église catholique. Même si je connais certains prêtres ouverts à cette possibilité de retour terrestre, pas un seul n'affirme y croire sans réserve.

Le moment de l'incarnation

Si l'on admet que nous sommes un esprit habitant un corps de chair le temps d'une vie terrestre, on peut aussi se demander à quel moment se produit cette incarnation. Serait-ce pendant la conception ? Au cours des premières secondes de la vie embryonnaire ? Dès les premières heures ? Au troisième jour ? Au sixième mois ? Au moment de l'accouchement ? J'ai fait des recherches et j'ai constaté que, mis à part certaines rares croyances dogmatiques, il n'existe aucun consensus à ce sujet.

Dans un précédent ouvrage[22], je rapportais des histoires de mamans qui prétendaient avoir ressenti l'arrivée de l'esprit de leur enfant à un moment bien précis de leur grossesse. Cela se traduisait chez elles par diverses sensations comme par exemple un flux énergétique ou une chaleur envahissante se focalisant au niveau du ventre pendant la gestation. Très

---

22. CHARBONIER J.J., *La médecine face à l'au-delà*, Guy Trédaniel, 2010.

rapidement après ce phénomène particulier, le bébé semblait animé d'une nouvelle vigueur avec notamment une perception maternelle de déplacements intra utérins plus marqués et plus fréquents. Depuis la publication de ce livre, j'ai reçu d'autres récits qui confortent ces expériences. D'après tous ces courriers que j'ai pu analyser, l'incorporation de l'esprit de l'enfant rapporté par la mère se produirait plus fréquemment entre le troisième et le septième mois de grossesse.

Je ne suis pas le seul médecin à avoir reçu ce genre de confidence. Je rapporte ici l'intégralité d'une lettre adressée au mois d'octobre 2012 par un médecin légiste, criminologue et expert près de la cour d'appel d'Angers. J'énonce tous les titres de ce praticien qui est encore en exercice pour bien montrer qu'il s'agit d'une personne rationnelle bien insérée dans la société.

Mon cher confrère,

Déjà sensibilisé par le Docteur Raymond Moody, dans les années 1980, lors de la sortie de son fameux livre La vie après la vie *j'ai beaucoup apprécié votre engagement en France dans ce très difficile débat.*

Je suis très heureux qu'un médecin français, anesthésiste de surcroît, donc bien au courant des faits de réanimation, voire de ressuscitation, s'implique autant dans cette recherche très importante pouvant conduire à un nouveau paradigme.

Pour votre œuvre, je vous adresse toute mes félicitations.

Dans le cadre de ces manifestations, que je ne qualifierais pas de paranormales mais plutôt aux frontières de la connaissance de la science, je souhaitais vous faire part des faits que m'a rapportés l'une de mes patientes. Ces faits ne se sont pas produits lors de mon activité de médecin légiste, mais dans le cadre de mon activité de médecin généraliste.

Ayant pratiqué la médecine de campagne lors de mes débuts, j'ai toujours eu, à l'opposé de mes confrères, une activité totale concernant la petite chirurgie et la gynéco-obstétrique. Je suivais donc les jeunes femmes pendant leur grossesse de la déclaration jusqu'au huitième mois, puis je passais la main à mes amis obstétriciens. Les échographies étant faites par mes soins ou chez un échographiste pour avoir une imagerie.

L'une de mes patientes, au détour de l'interrogatoire de la consultation, m'a déclaré les faits suivants qui ont attiré mon attention.

C'était une femme très maigre, donc très facile à examiner, très simple sur le plan psychique mais pas débile. Elle avait déjà deux enfants et en était à sa troisième grossesse. Elle était environ à six mois de grossesse et se reposait sur son divan. Il était aux alentours de quinze heures. Elle ne dormait pas mais elle était somnolente, très détendue, lorsqu'elle a vu dans la pièce où elle se trouvait comme une vapeur d'eau au plafond qui a commencé à converger vers elle de tout côtés pour se concentrer en une petite masse comparable à un petit nuage très dense, gros comme deux oranges. Puis ce petit nuage a pénétré lentement dans son ventre sans ne lui procurer aucune sensation thermique ou douloureuse. Elle a été très étonnée, n'ayant jamais observé cela au cours de ses deux grossesses précédentes et elle souhaitait avoir mon avis. Je me suis contenté de la rassurer, l'examen clinique étant strictement normal. Mais elle a ajouté que depuis ces faits, le bébé bougeait beaucoup plus. La grossesse s'est menée à terme sans aucun problème.

La lecture de vos livres et les descriptions des phénomènes de sortie de corps m'ont fait repenser à cet épisode. Ne s'agissait-il pas d'une première corporation d'un nouveau corps astral au niveau du fœtus ?

Je vous autorise bien sûr à utiliser ce fait s'il vous intéresse et à me citer nominalement.

Avec encore mes félicitations, je vous prie de croire, mon cher confrère, à mes sentiments les plus cordiaux.

Docteur Jacques Palmas

Je remercie de tout cœur ce médecin pour son courageux témoignage.

L'enseignement des expérienceurs

Au total, pour rester tout à fait objectif sur la question, on peut dire que, bien qu'il n'existe aucune preuve scientifique et formelle sur la réincarnation, cette thèse semble toutefois logique compte tenu de ce que nous savons sur les NDE et les phénomènes médiumniques. Après tout, un expérienceur n'est-il pas lui-même la preuve vivante de cette possibilité ? Ne s'est-il pas réincarné dans son propre corps après son expérience ?

Bien que n'ayant fait aucune étude statistique sérieuse sur le sujet, je dois reconnaître que la grande majorité des expérienceurs que j'ai interrogés sur le devenir de l'esprit après la mort m'ont déclaré croire à la réincarnation. Le docteur Cherie Sutherland est une sociologue australienne qui a fait une NDE pendant son accouchement. Elle rapporte les répercussions de son expérience sur sa façon d'envisager la vie dans un livre intitulé *Reborn in The Light*. Passionnée par ce sujet, elle a fait une étude qui a montré qu'après une NDE, 80 % des expérienceurs se mettaient à croire à la réincarnation. Je n'ai ni chiffre ni pourcentage à donner puisque, je le répète, je n'ai fait aucune recherche sérieuse en ce sens, mais je peux dire que cette évaluation approximative de 80 % est loin de me surprendre.

Alors, compte tenu de tout ce qui a été développé dans ce chapitre, pourquoi s'enfermerait-on dans une pensée dogmatique qui exclurait totalement la réincarnation comme hypothèse sérieuse d'après-vie ?

CHAPITRE 4

D'où viennent-ils ?

Si on admet que nous sommes avant tout un esprit habitant un corps le temps d'une vie terrestre et que cette énergie spirituelle est en mesure de quitter son enveloppe de chair de façon temporaire (NDE-OBE) ou définitive, on peut mieux comprendre un certain nombre de phénomènes décrits dans la littérature ésotérique. Le *walk-in*, la possession, les anges gardiens pourraient, en effet, trouver par ce biais un début d'explication.

Si le problème de savoir qui nous sommes vraiment se pose de façon légitime, l'énigme de savoir à qui nous avons affaire au quotidien en côtoyant nos contemporains restera pour chacun d'entre nous une question récurrente ; l'autre demeurant en fin de compte toujours bien plus mystérieux que soi-même.

Le *walk-in*

Le *walk-in* est un échange d'esprit se faisant entre deux corps de chair.

J'ai déjà évoqué dans un ouvrage précédent un exemple assez troublant qui m'avait été rapporté. L'aimable dame qui m'avait adressé son histoire par courrier, et avec laquelle j'ai pu converser longuement au téléphone par la suite, n'était visiblement pas une adepte de lecture ésotérique ; elle n'avait jamais entendu parler de décorporation et encore moins de *walk-in*.

Je rappelle les faits : un accident de la route, deux blessés graves à bord de la même voiture. Le conducteur est tué sur le coup, tandis que son frère, passager, émerge d'un coma profond au bout de plusieurs semaines de réanimation. Jusque–là, rien de bien original. Si ce n'est que le rescapé se réveille avec la personnalité intégrale de son frère décédé ; même caractère irascible, mêmes envies, même goûts gastronomiques. Il se met à adorer des plats qu'il détestait et qui étaient les préparations culinaires favorites du défunt. Il identifie parfaitement des lieux où son frère s'était déjà rendu alors que lui même n'y avait jamais mis les pieds. Effarée par une transformation aussi radicale, son épouse livre ses inquiétudes à sa belle-sœur. La jeune veuve lui confirme ses impressions : le miraculé ressemble de plus en plus au mari qu'elle vient d'enterrer ! Tout devient plus simple si l'on accepte l'idée que l'esprit du défunt habite désormais le corps de son frère. Le véritable mort n'étant pas, dans ces conditions-là, celui que l'on pense ; ce serait l'esprit du frère paraissant vivant qui serait passé derrière le voile... Il y aurait eu échange d'âmes à la suite de cet accident. Pas facile à suivre, n'est-ce pas ?

La possession

J'ai décrit plus haut le phénomène de possession en précisant que celle-ci pouvait se faire indirectement ou directement. Dans le premier cas, l'esprit possessif agit en stimulant le cerveau récepteur de sa cible, qui reste plus ou moins « consciente » du changement qui s'opère en elle. À l'inverse, dans une possession directe, l'esprit incorpore entièrement le possédé, qui n'a plus aucune conscience de ce qui se passe et qui n'en gardera, la plupart du temps, aucun souvenir. Il se sera produit une sorte de *walk-in* momentané, plus ou moins dramatique ou heureux en fonction de la nature et des intentions de l'esprit possessif. Il est sûr qu'il est préférable d'être temporairement habité par l'esprit d'un talentueux artiste qui tient à s'exprimer une nouvelle fois dans notre monde que par celui d'un ancien tueur à gages qui souhaite encore faire parler de lui !

Les anges gardiens

Des entités désincarnées pourraient agir de cette manière ; elles nous apporteraient aide et soutien en incorporant une cible déterminée pour nous sauver d'une situation difficile. Ce serait pour elles une façon d'intervenir physiquement dans notre monde matériel. Ceux que certains auteurs d'ouvrages ésotériques appellent « anges gardiens » seraient, dans cette hypothèse, des esprits bienfaisants, incorporés par *walk-in* le temps d'un sauvetage ou d'une action nous permettant de passer un cap difficile.

Il existe de multiples exemples de sauvetage ou d'aide miraculeusement réalisés. Parmi ceux-ci, celui de Philippe

Labro est de mon point de vue un des plus édifiant, car la notoriété de ce célèbre journaliste, ex-directeur de RTL, lui interdit de raconter des balivernes ou des contes de fées. Compte tenu de son métier et de ses diverses responsabilités, on peut en effet déduire que ce qu'il dit avoir vécu ne peut être mis en doute. À la suite d'un important œdème laryngé, Philippe Labro vécut une courte période de coma, au cours de laquelle il expérimenta une NDE qu'il décrivit plus tard dans un livre intitulé *La Traversée* (éd. Gallimard, 1996). Lors de cet épisode, il est admis à l'hôpital Cochin et reçoit des soins attentifs et minutieux, en particulier de la part d'une infirmière coréenne qui se prénomme Karen. La jeune fille s'occupe de lui pendant toutes les nuits qu'il passe en réanimation. Une fois remise de la terrible maladie qui a manqué l'emporter, la star de l'audiovisuel souhaite remercier chaleureusement la jeune femme pour autant de dévouement et de gentillesse. Il se renseigne et, ô surprise, cette soignante ne semble jamais avoir existé ! Dans le service de réanimation où il a séjourné, il n'y a jamais eu de Karen, de Coréenne ni d'Asiatique !! Personne n'a jamais rencontré cette infirmière à l'hôpital Cochin !!! Comment admettre une telle incohérence ? La solution que je propose a au moins le mérite de donner une explication logique.

J'ai souvent été le témoin d'aides de ce genre. J'ai remarqué que, lorsque j'interviens pour promouvoir l'existence de l'au-delà dans les médias, lors de conférences ou de séances de dédicaces, des portes s'ouvrent comme par enchantement pour favoriser mon action. Le dernier événement date de la fin du mois de juin 2012. L'histoire est simple et pourrait passer totalement inaperçue pour une personne non sensibilisée aux phénomènes paranormaux. Je vous raconte : au retour d'une conférence à Annecy, j'arrive en retard à l'aéroport de Lyon-Saint-Exupéry pour prendre mon avion. Impossible d'enregistrer mon billet ; le vol est clôturé. Je me précipite au comptoir Air France pour exposer mon cas, qui semble critique vu la mine déconfite de la dame en uniforme qui pianote sur son clavier en fronçant les sourcils. En cette période de départ en vacances, il n'y a plus une seule place libre sur aucun des vols en partance pour Toulouse. Que faire ? Que faire, si ce n'est prier ? C'est ce que je fais, mais à ma façon. Je m'adresse à l'univers entier, à la conscience divine, aux consciences désincarnées de l'au-delà ; alerte maximale : « Mais bon sang là-haut qu'est-ce que vous faites ? Vous me laissez tomber ? Vous avez oublié que je travaille pour vous ou quoi ? » En écrivant ces lignes, je me rends compte que ma prière était vraiment très directive et manquait singulièrement d'humilité ; elle ressemblait plus à une injonction qu'à autre chose, mais bon... Les « autorités supérieures » ont dû comprendre que j'avais des circonstances atténuantes pour être passablement énervé par la situation. Ceci dit, revenons au moment où mon interlocutrice, qui s'active sur les touches de son ordinateur en hochant la tête, m'entend marmonner. Elle s'inquiète : « Que dites-vous ? » Elle m'agace : « Rien, rien, je prie pour que vous me trouviez une solution, c'est tout ! » Elle persifle : « Pffff, une solution, y en a pas d'solution... J'en vois pas d'solution ! » Quelques secondes passent avant qu'une petite voix m'alerte derrière moi. C'est celle d'une hôtesse de l'air qui me demande si je veux aller à Toulouse. Comment a-t-elle pu deviner ma destination ? Elle était bien trop loin de moi pour entendre ma conversation. Je lui souris. « Oui, bien sûr, je ne désire que ça ! » Son costume bleu semble plus clair que celui des autres hôtesses que j'ai pu croiser dans le hall. « Eh bien, cher monsieur, on peut dire que vous avez de la chance, votre vol a du retard, suivez-moi, on va essayer de l'avoir ! » Elle m'arrache mon billet des mains et se dirige vers une machine laissée miraculeusement vacante, où elle édite ma carte d'embarquement. Nous passons par une porte réservée au personnel naviguant et

113

court-circuitons la longue file d'attente qui s'étire devant les portiques de fouille. Elle m'aide à déballer mes affaires sur le tapis roulant pour gagner quelques précieuses secondes. Elle trottine de nouveau devant moi : « Dépêchez-vous, on va l'avoir ! » Je transpire. Je bouscule légèrement un élégant octogénaire qui marche avec une canne : « Pardon monsieur, désolé… » Ouf, ça y est, je suis enfin devant ma porte d'embarquement. Je tends ma carte à un jeune homme qui me dit que je suis le dernier passager et que j'ai une chance inouïe de pouvoir monter à bord. C'est gagné ; dans moins d'une heure, je serai à Toulouse. Je me retourne pour remercier celle qui vient de me sauver de cette mauvaise passe. Personne ! La jeune femme en uniforme bleu clair s'est volatilisée !! Un ange gardien déguisé en hôtesse de l'air, c'est plutôt original non ?

Je pense, avec le recul, que cette employée d'Air France n'était ni un fantôme ni un ange gardien venu d'une autre dimension, elle était bien vivante et très certainement « palpable », bien que je ne me sois pas hasardé à le vérifier. Cette jeune femme a simplement été « utilisée » par l'au-delà pour me donner un sérieux coup de main. Je veux bien croire aussi que le retard de l'avion ait pu être organisé dans ce même but. Ils sont capables de tout, là-haut, quand ils veulent aider quelqu'un ! Vous aussi, cherchez bien, fouillez dans votre mémoire ; je suis sûr que vous avez reçu des aides stupéfiantes données par des personnes improbables au moment où vous étiez dans la bonne direction. Il est vrai que, quelques fois, on pense être sur le bon chemin et un impondérable surgit pour nous en faire changer ; il faut alors se dire que l'itinéraire choisi n'était pas le meilleur. Nous n'avons pas toutes les clés pour comprendre. Il faut accepter, se résigner et lâcher prise. Bientôt, un autre chemin nous sera désigné.

DEUXIÈME PARTIE

Révélations sur
le fonctionnement
du bonheur

CHAPITRE 5

Définir le bonheur

Selon la définition du Larousse, « le bonheur vient de bon et heur et représente une joie, un plaisir liés à une circonstance ou un état de complète satisfaction ».

Le bonheur des philosophes

Les philosophes s'évertuent depuis toujours à trouver la bonne recette du bonheur, dans le but de rendre la vie plus heureuse. Ce thème est récurrent chez les Grecs, Épicure, Socrate, Aristote et Platon, et on le retrouve chez Diderot, Descartes, Kant, Spinoza, Alain, Montaigne ou Voltaire. Fixer le bonheur comme objectif revient à le définir et on s'aperçoit en lisant ces *amis de la sagesse* que leurs définitions sont aussi variées que multiples. Par exemple, Épicure (341-270 av. J.-C.) assimile le bonheur à la tranquillité de l'âme et à l'absence de trouble douloureux du corps. Il gomme du même coup les angoisses de la mort en écrivant : « *Prends l'habitude de penser que la mort n'est rien pour nous. Car tout bien et tout mal résident dans la sensation. Or, la mort est privation de toute sensibilité. Par conséquent, la connaissance de cette vérité que la mort n'est rien pour nous, nous rend capable de jouir de cette vie mortelle, non pas en y ajoutant la perspective d'une durée infinie, mais en nous enlevant le désir de l'immortalité. Car il ne reste plus rien à redouter dans la vie, pour qui a vraiment compris que, hors la vie, il n'y a rien de redoutable.* » De nombreux philosophes et intellectuels se sont élevés contre les conceptions simplistes épicuriennes du bonheur en prônant que pour être heureux mieux valait aimer ce que l'on fait plutôt que faire ce que l'on aime. Pour le philosophe Alain (1868-1951), au contraire, le bonheur se fabrique et se mérite. Il consiste, selon lui, à faire ce que l'on aime en choisissant son chemin de vie, sa profession, ses relations, en fonction de ses goûts personnels et de ses aspirations. Il écrit : « *L'un voudrait se réjouir de la richesse, l'autre de la musique, l'autre des sciences. Mais c'est le commerçant qui aime la richesse, et le musicien la musique, et le savant la science.* » À l'inverse des stoïciens qui disent trouver le bonheur en restant fermes et impassibles devant le malheur, Arthur Schopenhauer (1788-1860) pense qu'il est inutile de vouloir chercher le bonheur à tout prix et que la seule voie possible de la sérénité est la contemplation. Et c'est aussi dans cette contemplation que Marcel Proust (1871-1922) cherchera son bonheur. Dans son adolescence, le jeune Proust fut heureux parce qu'un rayon de soleil brillait, parce qu'il respirait le parfum d'une fleur, parce qu'il aimait sa mère ou parce qu'il lisait un beau livre. Il écrit alors : « *Les choses sont si belles d'être ce qu'elles sont, et l'existence est une si calme beauté répandue autour d'elle !* » Bref, il semble bien qu'il y ait autant de définitions du bonheur que de philosophes et l'objet de cet essai n'est pas de les détailler ici, car un livre entier n'y suffirait pas !

Le bonheur des religieux et des théologiens

Farouche opposant des stoïciens ou des épicuriens qui ne craignent ni Dieu ni la mort, saint Augustin (354-430), qui est le principal théologien du christianisme occidental et l'un des plus importants fondateurs de l'Église latine, ne peut concevoir le bonheur sans la certitude de l'immortalité de l'âme. Et il faut bien reconnaître une chose en lisant les divers textes sacrés communs à toutes nos religions : le bonheur parfait et accompli ne nous est promis qu'après notre mort et il se mérite par une vie terrestre vertueuse et exemplaire. Le bonheur obtenu ici-bas ne serait donc rien en comparaison de celui qui nous attendrait dans l'au-delà ! De plus, celles et ceux qui auraient le plus souffert sur Terre seraient les plus heureux de l'autre côté du voile. On retrouve cette notion dans les évolutions karmiques des bouddhistes et aussi, bien sûr, dans le christianisme.

Heureux, vous, les pauvres, car le Royaume de Dieu est à vous.

Heureux, vous qui avez faim maintenant, car vous serez rassasiés.

Heureux, vous qui pleurez maintenant, car vous rirez.

Heureux êtes-vous quand les hommes vous haïront, quand ils vous frapperont d'exclusion et qu'ils insulteront et proscriront votre nom comme infâme, à cause du Fils de l'homme. Réjouissez-vous ce jour-là et tressaillez d'allégresse, car voici que votre récompense sera grande dans le ciel. C'est de cette manière, en effet, que leurs pères traitaient les prophètes.

Évangile selon saint Luc (6,20-23)

Heureux ceux qui ont une âme pauvre, car le Royaume des Cieux est à eux.

Heureux les doux, car ils posséderont la terre.

Heureux les affligés, car ils seront consolés.

Heureux les affamés et assoiffés de justice, car ils seront rassasiés.

Heureux les miséricordieux, car ils obtiendront la miséricorde.

Heureux les cœurs purs, car ils verront Dieu.

Heureux les artisans de la paix, car ils seront appelés fils de Dieu.

Heureux les persécutés pour la justice, car le Royaume des Cieux est à eux.

Heureux êtes-vous quand on vous insultera, qu'on vous persécutera, et qu'on dira faussement contre vous toute sorte d'infamie à cause de moi. Soyez dans la joie et l'allégresse, car votre récompense sera grande dans les Cieux : c'est bien ainsi qu'on a persécuté les prophètes, vos devanciers.

Évangile selon saint Matthieu (5, 1-12)

Ainsi, pour résumer grossièrement la pensée religieuse, le bonheur serait dans Dieu et se trouverait dans l'existence potentielle de la survivance de l'âme.

Le bonheur des scientifiques matérialistes

Pour les scientifiques matérialistes, le bonheur des théologiens ou des philosophes n'existe pas, car il représente une valeur abstraite et subjective qui ne peut ni se mesurer ni s'évaluer. Pour cette raison-là, le bonheur sera plutôt assimilé à un autre mot, pourtant tout à fait différent : le plaisir. Effectivement, le plaisir laissant des traces corporelles visibles et quantifiables sera reconnu comme un phénomène patent et objectif. Par exemple, le plaisir sexuel de l'acte amoureux pourra être analysé ; étant mesurable et reproductible, il sera reconnu et accepté comme étant une réalité. Ainsi, lorsqu'un homme est sexuellement stimulé par une ou un partenaire, son cortex cérébral va venir exciter les circuits dopaminergiques et sérotoninergiques neuronaux, entraînant une réaction endocrinienne en cascade et provoquant une dilatation des pupilles, une accélération de la fréquence cardiaque, une augmentation de la tension artérielle, une sudation, une salivation, une dilatation des corps spongieux de la verge, induisant une érection suffisante pour effectuer une pénétration. L'acte amoureux est reconnu de cette façon, mais l'amour qui l'a induit ne l'est aucunement ! Assimiler l'acte sexuel à l'acte amoureux est une erreur grossière, les violeurs n'éprouvant, comme chacun sait, aucun sentiment amoureux en agressant leurs victimes. On voit bien là le côté restrictif du bonheur des matérialistes. Heureusement pour nous, il existe aujourd'hui de nombreux scientifiques suffisamment évolués pour se débarrasser du carcan dépassé de la pensée matérialiste et qui étudient sans tabou les valeurs spirituelles du bonheur en faisant diverses recherches sur les états de conscience modifiées.

Le bonheur des expérienceurs

Pour définir le bonheur, les expérienceurs ont une singularité qui les distingue des philosophes, des religieux, des théologiens et des scientifiques en ce sens que ce sont les seuls êtres vivants pouvant déclarer avec autant d'aplomb être certains d'avoir connu le véritable bonheur. Ils prétendent que ce bonheur-là n'a rien à voir avec le plus grand des bonheurs terrestres et les mots leur manquent pour communiquer la joie, l'amour et la félicité rencontrés dans la lumière de leur expérience. Le contact avec cette « lumière d'amour », qualifiée aussi par beaucoup de « lumière divine », ne dure souvent que quelques fractions de seconde, mais est tellement intense et puissant d'un point de vue émotionnel, qu'il parvient instantanément à balayer tous les amours terrestres de toute une vie. C'est d'ailleurs assez vexant pour celles et ceux qui pleurent l'être cher en état de mort clinique ! L'expérienceur qui vient de quitter son corps n'est porteur d'aucune tristesse. Bien au contraire. Dès qu'il se retrouve dans la lumière, il est dans l'allégresse et n'a aucune nostalgie de sa vie passée – un parcours pourtant long avec des attaches affectives, des enfants, un conjoint, une famille, des amis. Eh bien non, tout cela ne représente plus grand-chose au regard de ce bonheur indicible trouvé dans la lumière ; c'est dire ! En revanche, le retour dans le corps à la fin de l'expérience est vécu douloureusement et avec une profonde tristesse. Les récits expriment une grande nostalgie de ce bonheur résolument inaccessible au plan terrestre. « *Cette lumière m'aimait comme jamais quelqu'un ne pourra m'aimer. Cette lumière me parlait. Elle parlait à mon cœur, elle parlait à mon âme. Elle me parlait sans les mots. Je savais tout sur tout. Elle me montrait ma vie, mes vies passées et mes vies futures et tout cela devenait logique, même les plus grands drames, même les maladies et les infirmités. Je comprenais enfin que les malheurs étaient des bonheurs, que les douleurs étaient de l'amour, que la misère était la richesse. Mais au moment où j'allais devenir à mon tour lumière, elle me dit qu'il fallait que je revienne et que je réintègre mon corps dont je venais de me libérer. J'ai supplié de rester. J'aurais tout donné de moi pour rester. Mais je n'ai rien pu faire. Une aspiration énorme m'a fait revenir en arrière à une vitesse folle et je me suis de nouveau retrouvé dans mon corps avec cet homme en blouse blanche qui transpirait en me massant la poitrine.* » Extrait du récit de Georges Gaillaud, victime de trois arrêts cardiaques consécutifs.

J'ai interrogé de nombreux expérienceurs pour connaître la nature de ce bonheur rencontré au moment de l'arrêt cardiaque. De quelle sorte de bonheur s'agit-il vraiment ? Un bien-être ? De l'amour ? Une sensation physique ? Un ressenti spirituel ? Une omniscience ? Une révélation ? À quel bonheur terrestre pourrait-on le comparer ? À celui d'un orgasme, d'un plaisir physique intense, d'une expérience hors du commun ?

Et chaque fois, la réponse est identique : il n'existe aucun mot, aucune expérience terrestre susceptible de donner la moindre idée de ce que peuvent être l'intensité et la puissance de ce bonheur qui se trouve associé à un amour aussi colossal qu'inconditionnel.

Le bonheur de ceux qui ont frôlé la mort

Ceux qui ont frôlé la mort à l'occasion d'un accident ou d'une maladie grave sont le plus souvent transformés après leur expérience et, bien que n'ayant pas connu la fameuse NDE, le seul fait d'avoir mesuré la fragilité de leur existence, les amène à considérer la vie comme un formidable et inestimable cadeau. Si on les interroge pour savoir comment ils ont vécu ce violent traumatisme psychologique, beaucoup répondent que ce fut, en réalité, une expérience positive, car le bonheur leur semble désormais beaucoup plus présent et accessible qu'avant la fulgurance de l'événement qui a manqué les emporter.

Je rapporte ici deux exemples caractéristiques de ce constat et une expérience personnelle, qui illustrent parfaitement le bonheur ressenti lorsque l'on passe tout près de la mort.

Le premier cas est celui vécu par l'un de mes amis aujourd'hui décédé, Félix Faure, qui a pensé vivre ses dernières minutes alors qu'il était confortablement installé sur le siège d'un Boeing 777 au-dessus du Pacifique. Il raconte :

« Je somnolais en écoutant de la musique dans mon casque lorsque, soudain, j'ai ressenti un haut-le-cœur comme quand on descend trop vite en ascenseur. J'ai ouvert les yeux et j'ai vu que l'avion piquait du nez. Une hôtesse s'était accrochée au dossier d'un fauteuil pour ne pas tomber vers l'avant de l'appareil, qui ressemblait à un puits profond du fait de la forte inclinaison de la carlingue qui fonçait tout droit vers l'Océan. Des affaires volaient partout autour de nous : des sacs, des vêtements, des plateaux-repas, des couverts, des assiettes, des gobelets, et d'autres trucs qui passaient tellement vite qu'il était impossible de les identifier. Les masques à oxygène étaient descendus automatiquement au-dessus de nos têtes, mais ils étaient plaqués au plafond

et hors de notre portée à cause de l'accélération. Les gens criaient, complètement paniqués. La femme qui était assise à côté de moi hurlait : "On se tue ! On se tue ! " Elle avait le visage ensanglanté et comprimait son nez avec un mouchoir. Pour moi, cela ne faisait pas l'ombre d'un doute : cette femme avait raison, on allait tous mourir. Mais, très curieusement, je n'avais absolument pas peur. Pourtant, j'étais certain, à cet instant précis que j'allais bel et bien mourir ! Et je peux dire que je ne suis pas spécialement courageux devant le danger ou la douleur. Paradoxalement, j'ai ressenti une sensation agréable, un bien-être énorme au moment où j'allais mourir. Je me suis dit en moi-même : "C'est quand même bête, tu n'as jamais été aussi bien de ta vie que maintenant et dans quelques secondes tu ne seras même plus de ce monde." Et puis j'ai eu une foule de pensées. C'est quand même étrange ; tout ceci n'a pas duré plus d'une minute au total, mais j'ai eu le temps de visualiser les grands événements de ma vie, mon enfance, mon mariage, tout un tas de choses. J'ai pensé à ma famille, à mes enfants, mais je n'étais pas triste. J'étais, au contraire, heureux de quitter cette vie, car j'étais certain que j'allais continuer à vivre d'une autre façon après le crash aérien. Moi qui, en tant que catholique non pratiquant, étais à peine croyant, au moment de mourir, j'étais sûr que j'allais retrouver Dieu et continuer à vivre. C'est très étonnant ça, non ? C'est alors que l'avion s'est progressivement redressé *pour retrouver son assiette normale. Nous étions sauvés, mais moi j'étais presque déçu ; mon rendez-vous avec Dieu était remis à plus tard. Depuis cet incident, je n'ai plus peur de mourir. Une fois arrivés à destination, nous apprîmes que le commandant de bord avait décidé de baisser brutalement son altitude de vol en urgence pour diminuer les pressions sur l'appareil, car il avait découvert de façon fortuite une fissure sur le vitrage du cockpit. »*

Sans avoir eu le moindre traumatisme physique, Félix avait donc vécu une expérience qui ressemble au début d'une NDE ; une impression de « bien-être énorme » et une revue de vie qui sont classiques dans le discours des expérienceurs. Il n'y a pas eu de décorporation ni la séquence événementielle habituelle : tunnel, visualisation de la lumière, etc. Il n'empêche que cette expérience a été pour lui transcendante, puisqu'elle a supprimé totalement sa peur de la mort : « [...] depuis cet incident, je n'ai plus peur de mourir. »

L'autre exemple est celui de Mme Geneviève V., une jeune femme miraculeusement rescapée d'un cancer digestif avec métastases hépatiques. Je l'ai rencontrée pour la première fois lors d'une consultation de pré-anesthésie.

Elle sortait du bureau du chirurgien qui venait de lui annoncer qu'elle devait bénéficier de l'ablation chirurgicale d'une bonne longueur de son colon. Cette patiente m'est apparue d'emblée atypique dans ces circonstances difficiles. Son visage souriant, sa mine détendue et ses propos remplis d'humour laissaient supposer qu'elle n'accordait pas beaucoup d'importance à la gravité de sa maladie. Je l'ai revue ensuite à plusieurs occasions ; à deux reprises, pour de la chirurgie pratiquée sur son intestin tumoral nécessitant l'ablation de vilains ganglions mésentériques puis, peu de temps après, pour une quatrième intervention, visant à lui enlever deux métastases hépatiques. À chaque nouvelle rencontre, sa bonne humeur était au rendez-vous. La maladie semblait n'avoir aucune emprise sur son moral. Bien que portant les stigmates des agressions thérapeutiques – puisqu'elle n'avait plus ses boucles brunes qui lui ruisselaient sur le cou, que l'emplacement de ses sourcils était marqué par deux traits de crayon et que ses joues pâles et creuses traduisaient une anémie subséquente aux chimiothérapies –, sa présence dégageait tout autour d'elle une impressionnante sensation de paix et de sérénité, une sorte d'énergie spirituelle comme on en rencontre chez quelques trop rares personnes. Il fallait se rendre à l'évidence : le crabe terrifiant la rendait « lumineuse ». Elle irradiait le bonheur. Et le plus surprenant était de constater que plus son cancer avançait et gagnait du terrain, plus cette « luminosité » qui l'entourait devenait importante. C'était comme si son corps, qui s'éteignait, allumait quelque chose en elle qui nourrissait son esprit. Bien sûr, elle était faible. Bien sûr, elle marchait lentement. Bien sûr, elle parlait doucement. Bien sûr. Mais elle était tellement forte et puissante par ce mystérieux sourire. Venu d'un autre monde, il gommait à lui seul toute notion de souffrance ou de tristesse.

J'ai revu Geneviève V. six ans après sa première intervention car on devait lui faire une coloscopie de contrôle. Elle était totalement guérie et son visage, entouré de superbes mèches noires, était celui que j'avais connu lors de notre première rencontre. Cette guérison aussi inattendue que spectaculaire me poussa à lui rendre une petite visite d'investigation dans sa chambre lors de sa courte hospitalisation. Je reproduis ici, avec son accord, notre entretien enregistré :

« – Aujourd'hui, vous êtes complètement guérie et ce cancer ne sera plus qu'un mauvais souvenir. Aviez-vous pensé à la mort pendant votre maladie ?

– Oui, et je m'y étais même préparée. Je savais que j'avais peu de chance de m'en sortir, mais j'avais décidé que je ferai tout pour m'en sortir…, surtout à cause de mes deux enfants qui sont encore trop petits pour ne plus avoir de maman.

– Vous me sembliez pourtant assez sereine par rapport à ce risque. Chaque fois que nous nous sommes vus, vous étiez souriante. Vous n'avez jamais craqué ?

– Évidemment j'ai craqué. Je ne suis pas une machine ! Comment ne pas craquer quand on vient d'apprendre que l'on va sans doute mourir bientôt ? Quand j'ai appris la nouvelle en fin de matinée, je n'ai rien dit à personne pendant toute la journée. Je ne suis pas allée travailler. Je me suis enfermée chez moi pour pleurer un bon coup. Ensuite, j'ai prié. J'ai beaucoup prié. Puis, j'ai tout mis en ordre dans mes affaires pour mon départ, pour mon mari, mes enfants. Ensuite… ensuite… et bien ensuite, je n'avais plus qu'à attendre que Dieu fasse ce qu'il avait à faire : m'aider à guérir ou venir me chercher.

– Vous êtes croyante ?

– Je le suis devenue.

– De quelle religion êtes-vous ?

– *Je n'ai pas de religion, mais je crois en Dieu. Et quand je priais, je parlais à Dieu sans réciter de prière. C'était trop personnel, ce que j'avais à lui dire. Je lui ai parlé et il m'a répondu. Ce qu'il m'a dit m'a permis d'avancer.*

– *Vous avez entendu quelque chose ?*

– *Oui, j'ai entendu très clairement. Ce que Dieu m'a dit, je ne l'ai pas entendu avec mes oreilles, je l'ai entendu avec mon cœur. Et ça, c'est beaucoup plus clair que n'importe quel son, croyez-moi.*

– *Je peux savoir ce qu'il vous a dit ?*

– *Non, c'est trop personnel ; je le garde pour moi (rires).*

– *Vous dites que vous n'aviez plus qu'à attendre que Dieu fasse son choix : vous aider à guérir ou venir vous chercher. Et il a donc choisi de vous aider à guérir. Savez-vous pourquoi il a fait ce choix ?*

– *Oui, j'ai encore du travail à faire avant de partir. Mes enfants sont encore jeunes et ils ont besoin de moi.*

– *Il y a pourtant de jeunes mamans qui partent le rejoindre, non ?*

– *Oui, c'est vrai, vous avez raison… Je crois… enfin, j'en déduis que nous n'avons pas suffisamment de connaissance pour comprendre les décisions de Dieu. Moi je dis que ce sont mes enfants qui m'ont retenue dans cette vie parce que cette volonté de vivre m'a été donnée par cette motivation* très forte, mais je n'ai pas la prétention de comprendre toutes les décisions divines.

– Avez-vous peur de la mort ?

– Non, plus maintenant. Je suis passée très près. J'étais prête et je le suis encore. Pour toujours.

– Pensez-vous être plus heureuse qu'avant ?

– Vous voulez dire avant mon cancer ?

– Oui, avant d'apprendre cette maladie-là.

– Bien sûr. Oui, sans aucun doute. Je suis beaucoup plus heureuse qu'avant. Je sais mieux profiter de la vie, des choses simples. Avant, je passais complètement à côté. J'étais toujours pressée et je ne voyais rien. Le bonheur, je l'avais là, à côté de moi : mes enfants, mon mari, ma famille, mes amis, l'air que je respirais, les gens, les animaux, l'herbe, tout. Je ne voyais rien, je ne sentais rien… j'étais une frigide de la vie (rires).

– Et maintenant ?

– Je ne suis plus du tout frigide (rires, plus fort). Merci la vie, merci Dieu ! »

Le troisième exemple de bonheur intense ressenti au seuil de la mort que je souhaite exposer ici est une expérience personnelle : un accident de moto qui aurait pu m'être fatal.

« Il était un peu plus de dix-sept heures et j'avais déjà quinze bonnes minutes de retard à un rendez-vous professionnel qui était pour moi de la plus haute importance. Il faisait assez froid en cette fin d'après-midi d'hiver. Le feu venait de passer au vert et l'accélération de ma moto supprima en moins d'une seconde la buée de mon casque intégral. Il émergea de ce brouillard artificiel un ruban de goudron qui ne demandait qu'à être avalé à la manière d'un jet sur une piste de décollage. J'accélérai encore. Les quatre cylindres hurlèrent de plaisir. L'aiguille du compte-tours était dans le rouge. Plein gaz ! Ce n'était plus une moto mais un boulet de canon, comme dans la chanson. Et là, tout à coup, tout bascule. Une voiture déboîte au ralenti depuis la file de gauche. Le choc est inévitable. Je couche la moto avant l'impact, qui est terrible. Le bruit est celui d'une explosion de verre et de métal. Je me cramponne au guidon, serre les jambes, surpris d'être encore vivant après une aussi terrible collision. Je me souviens m'être dit : Incroyable, je suis encore en vie ! Je glisse sur la route dans une gerbe d'étincelle. La course s'arrête enfin. Je me relève. Aucune douleur. Pas la moindre égratignure. Ma Kawasaki ressemble à une grosse chenille écrasée. Je marche vers la zone d'impact située à plusieurs dizaines de mètres de là. En m'avançant vers l'homme coiffé d'une casquette qui sort de la voiture accidentée en tendant les bras au ciel, j'ai l'impression de remonter le temps, de gommer peu à peu la poignée de secondes qui me sépare du télescopage. La cible apparaît à contre-courant. La porte côté conducteur de la vieille guimbarde est pliée en deux. Le chauffard me dévisage avec l'air ahuri de celui qui vient de voir un fantôme. Il me regarde de la tête au pied et me dit enfin : "Mon Dieu, c'est incroyable ça, vous n'avez rien ? Je pensais vous avoir tué !" Et non ; je n'avais rien ! Rien de rien !!! Une seule anomalie pourtant : cette crise de fou rire impossible à contrôler. En complétant l'imprimé du constat, elle continuait encore. Et puis, bien plus tard aussi, en rentrant chez moi. J'étais vivant. Vivant. Oui, vivant ! Et cela me remplissait d'une immense joie, d'un formidable et inestimable bonheur que je n'avais jamais connu auparavant. »

Nous pouvons expliquer scientifiquement la sensation de bonheur intense ressentie au moment de l'imminence d'un accident que nous pressentons très dangereux. Même s'il n'y a aucun traumatisme physique comme dans le premier et le troisième exemple que je viens de développer, il y a un stress psychologique, responsable de diverses sécrétions hormonales. L'adrénaline surrénalienne tout d'abord, qui accélère le cœur, augmente la tension artérielle et provoque une exclusion vasculaire de la peau et des muscles – pâleur et sensation de « jambes coupées » – pour dévier le sang vers les organes nobles que sont le cœur et le cerveau. Dans un raisonnement finaliste, nous pouvons penser que cet orage biochimique, qui augmente l'apport de sucre et d'oxygène aux neurones, est destiné à rendre plus performant les capacités du cerveau pour que celui-ci puisse prendre en urgence la meilleure décision possible. Et il est effectivement fréquent de remarquer que les gestes ou les attitudes réflexes des personnes menacées par l'imminence d'un danger mortel sont en général parfaitement adaptés aux circonstances. Les endorphines sont ensuite déversées à flot dans la circulation sanguine si le stress est très intense et/ou prolongé. Ces dernières sont sécrétées par le cerveau et induisent, comme la morphine, un puissant effet analgésiant, combiné à une sensation d'euphorie ébrieuse. Dans ce cas-là, la sensation de bonheur perçue comme « plaisir intense » est bien différente de celle des expérienceurs, qui l'assimilent plutôt à un amour inconditionnel et indicible.

Dans la deuxième expérience, il n'y a pas eu de stress aussi brutal et aigu que lors de l'imminence d'un accident – mis à part le moment de l'annonce de la maladie potentiellement mortelle –, et on ne peut donc attribuer la notion de bonheur « Je suis plus heureuse qu'avant » à la seule sécrétion d'adrénaline et de morphine. Quand j'ai demandé à Geneviève V. si elle avait peur de la mort, elle m'a répondu : « Non, plus maintenant. Je suis passée très près. J'étais prête et je le suis encore. Pour toujours. » On peut alors se demander si le seul fait de ne plus avoir peur de la mort donne du bonheur, comme c'est le cas dans cet exemple et dire comme les sages tibétains : « Si tu veux aimer la vie, il te faut accepter la mort. » Autrement dit, le secret du bonheur est-il de ne plus avoir peur de sa mort ? C'est sûrement l'une des clés pour être heureux, mais à la seule condition que cette prise de position ne dévalue pas pour autant le fait de vivre sa vie. Par exemple, les personnes qui se suicident n'ont pas peur de mourir mais sont, pour la plupart, très malheureuses. Il en est de même pour les terroristes ou les kamikazes, qui n'ont pour seul moteur d'action que la haine et la colère, des notions bien opposées à celles du bonheur.

Dans les trois exemples décrits, c'est au contraire l'événement potentiellement mortel qui a révélé le caractère précieux de la vie en mettant en exergue sa fragilité, sa beauté et son mystère.

CHAPITRE 6

Le corps, une prison pour l'esprit

Il est intéressant de noter que l'expérienceur Georges Gaillaud, dont nous avons parlé dans le chapitre précédent, écrit dans son témoignage : « [...] il fallait que je revienne et que je réintègre mon corps, dont je venais de me libérer. » Le mot « libérer » suggère que le corps est en fait une sorte de prison interdisant toute escapade de l'esprit. Cette notion d'être un esprit incarné se retrouve dans le langage populaire. Inconsciemment, nous savons déjà que nous sommes un esprit habitant un corps de chair le temps d'une vie terrestre. Par exemple, pour dire qu'une personne vient de décéder, nous annonçons à ses proches qu'elle a « rendu l'âme » et, lorsque nous parlons de la relation à notre corps, nous disons que nous « avons » un corps et jamais que nous « sommes »

141

un corps. Lorsque nous avons un membre amputé, un organe mutilé, une partie du cœur ou du cerveau dégradé par une pathologie quelconque ou par la vieillesse, notre esprit reste toujours le même. En revanche, notre personnalité se trouvera altérée par notre conscience analytique, qui va juger le nouveau handicap en alimentant des sentiments de frustration. Frustration par rapport au passé, nostalgie par rapport au futur, angoisse du devenir, par rapport à la société, du regard des autres. À l'inverse, la conscience intuitive actera dans ces conditions-là la situation sans « état d'âme », et surtout, sans aucun ressenti négatif. Nous avons déjà vu que la conscience analytique produisait des informations qui nous rendaient malheureux en privilégiant le « paraître » à « l'être » dans l'ici et le maintenant. Les personnes à l'ego surdimensionné subissant un handicap sont, de ce fait, beaucoup plus fragiles et malheureuses que les autres, et bon nombre d'entre elles préfèrent se suicider plutôt que d'affronter une réalité qui les dépasse. J'ai constaté que les personnes altruistes, soucieuses des autres, étaient celles qui supportaient le mieux la maladie et la douleur. Celles qui sont égoïstes, exigeantes, désagréables avec le personnel soignant et avec leur entourage sont les plus mauvais malades. Elles font très souvent des complications chirurgicales : embolie pulmonaire, infarctus myocardique, infection nosocomiale, etc. En développant des pensées négatives vis-à-vis des autres ou d'une situation donnée, elles vont verrouiller leur conscience intuitive et retarderont d'autant leur guérison. Le bavardage incessant de leur conscience analytique, qui produira des pensées de colère, de rancœur et d'amertume, augmentera leur tension artérielle en majorant les risques cardiaques et diminuera leur défense immunitaire en favorisant les infections virales ou bactériennes, ainsi que le développement de cancers.

Hors de soi

Les expérienceurs nous disent être sortis du corps lors de leur arrêt cardiaque et que c'est précisément à partir de ce moment-là qu'a débuté chez eux une sensation de bien-être extraordinaire accompagnée d'une disparition totale de toute douleur. En écoutant leurs récits, on pourrait penser que le seul fait de quitter le corps permettrait de connaître un bonheur parfait et que, débarrassé de notre enveloppe de chair, nous saurions enfin à quoi ressemble notre véritable nature. Il est vrai que ce détachement de la matière doit permettre de relativiser les agressions physiques des mutilations, des maladies ou des traumatismes. Certains expérienceurs éprouvent même une répulsion vis-à-vis du corps qu'ils viennent de quitter.

« Quand j'ai vu ce corps gisant sur la table d'opération, je ne l'ai pas reconnu. J'étais au plafond et je voyais le chirurgien qui pestait car il y avait du sang partout dans le ventre qu'il avait ouvert. Je n'ai compris que plus tard que ce corps qu'on opérait, c'était le mien, mais je n'avais pas du tout envie d'y revenir. Il me dégoûtait. »

Extrait du récit de Cécile Joude, victime d'un arrêt cardiaque au cours d'une hémorragie digestive.

Avoir un corps et ne pas être ce corps prend ici toute sa signification. Cette façon de donner de la distance par rapport à son corps peut nous aider à affronter certaines épreuves de la vie.

Une infirmière trop émotive

Sophie est une bonne infirmière, mais elle avait un gros problème qui lui portait préjudice dans son exercice professionnel : elle était trop émotive. Cette douce jeune fille était depuis peu l'instrumentiste d'un chirurgien particulièrement acariâtre et colérique, si bien que chaque opération faite par ce singulier binôme se transformait rapidement en une épreuve des plus pénible à vivre. Le scénario était toujours le même : le chirurgien réprimandait Sophie pour un geste mal assuré ou pour une faute quelconque, la pauvre soignante paniquée se mettait alors à trembler et devenait de plus en plus maladroite, tandis que l'homme au bistouri criait de plus en plus fort, jusqu'à ce que la malheureuse quitte le bloc opératoire en pleurant comme une enfant de quatre ans. Un matin, en salle de repos, alors que nous prenions un café avant d'attaquer le programme opératoire de la journée, Sophie me demanda comment elle pouvait s'y prendre pour améliorer les relations houleuses avec ce chirurgien irritable. En fait, cette jeune infirmière se laissait déborder par sa conscience analytique. Au moment de débuter l'opération, elle se référait aux malheureuses expériences précédentes et anticipait le moment où elle quitterait le bloc en larmes ; elle se projetait dans le futur en pensant à son passé sans avoir la possibilité d'avoir une concentration et une attention suffisante sur le présent. Submergée par son mental, elle appréhendait fortement l'humiliation subie qui attaquait son ego, si bien que les choses empiraient au fil des séances. Je ne disposais pas de suffisamment de temps pour expliquer à Sophie les différences de fonctionnement des consciences analytique et intuitive et je ne pouvais donc pas lui demander d'appuyer sur le bouton « off » chaque fois qu'une information issue de sa conscience analytique pointerait le bout de son nez. Je n'avais qu'une dizaine de minutes devant moi avant que l'infirmière rejoigne l'arène où allait sévir l'impétueux chirurgien, et celle-ci jetait vers moi un regard suppliant de futur chien battu. En un éclair, je repensai aux expérienceurs et demandai à Sophie de s'imaginer être au-dessus de son corps dès la première engueulade. Oui c'est ça, lui dis-je, vous vous imaginerez être sortie de votre corps en visualisant la scène, comme si vous étiez au plafond du bloc opératoire. Vous serez spectatrice et vous regarderez les gens, en dessous : le chirurgien, l'opéré, les aides soignantes, moi et aussi et surtout… vous. Enfin… votre corps qui sera en train de travailler avec le chirurgien. Si vous parvenez à imaginer que les choses se passent ainsi, je suis sûr que tout se passera bien. Sceptique, Sophie me promit d'essayer.

Une quinzaine de minutes après le début de l'intervention, l'infirmière commit sa première maladresse et, comme on pouvait s'y attendre, le chirurgien la réprimanda en hurlant sans la moindre retenue. La main de la malheureuse commença à trembler. Elle lança un regard paniqué vers moi. Je lui répondis par un clin d'œil en regardant le plafond. Je vis alors ses yeux se plisser et devinai un sourire sous son masque. Tandis que l'homme au bistouri poursuivait ses invectives, contre toute attente, les tremblements de la main de l'instrumentiste souffre-douleur s'estompèrent peu à peu avant de disparaître totalement. La voix du chirurgien se fit alors moins agressive et on crut même déceler une inhabituelle bienveillance dans ses propos. L'ambiance changea du tout au tout. L'opération se termina dans la bonne humeur générale et Sophie eut même droit aux félicitations du chirurgien sadique. Un peu plus tard, en retirant ses gants de latex, Sophie vint vers moi et me chuchota à l'oreille : « C'est incroyable, ça marche votre truc, je vais le dire aux copines ! » En observant la situation avec un détachement suffisant, Sophie avait réussi à faire taire sa conscience analytique. Du même coup, elle avait éloigné ses réactions émotionnelles, qui ne faisaient qu'aggraver la colère du chirurgien. Un chirurgien qui, de ce fait, ne pouvait plus être « hors de lui ».

Le véhicule terrestre

Considérer notre corps comme un « véhicule terrestre » abandonné au moment de la mort est la meilleure façon de valoriser l'esprit qui l'anime. Beaucoup pensent qu'ils sont ce fameux véhicule. Quelle erreur ! Ils n'en sont que le conducteur. Nous devons nous comporter avec notre enveloppe physique exactement comme avec notre voiture. Nous devons lui donner un carburant adapté au moteur, prendre soin de son bon fonctionnement, la faire réviser en fonction du kilométrage pour éviter les pannes surprises, l'amener chez le médecin quand c'est nécessaire et essayer de lui faire accomplir la plus longue route possible sans trop d'accidents. En effet, s'il faut prioriser le conducteur sur sa voiture, il ne faut pas pour autant négliger le véhicule. Une voiture bien entretenue permettra de réaliser un parcours plus long et plus agréable. D'autre part, penser que nous sommes la voiture et non pas celui ou celle qui la dirige serait une grave erreur, qui reviendrait à nous rendre inconsolable et terriblement malheureux lorsque celle-ci vieillit ou est méchamment accidentée. La prochaine fois que vous serez coincé dans un embouteillage, observez votre entourage. Vous constaterez qu'il y a des vieilles personnes au regard triste et méchant qui conduisent de superbes voitures aussi neuves que rutilantes à côté de jeunes et belles personnes souriantes qui sont au volant de véritables ruines ambulantes. J'ai rencontré dans ma vie professionnelle de belles âmes qui pilotaient des corps en fin de vie et aussi, hélas, de nombreux esprits sombres au physique irréprochable. La jeunesse est, surtout et avant tout, donnée par l'esprit qui anime le corps. Nos sociétés occidentales matérialistes ignorent totalement cette évidence et c'est par exemple pour cela qu'elles assimilent les rides sur un visage aux stigmates d'une cruelle faiblesse qu'il faut cacher à tout prix. Non, ces sillons de la peau ne sont pas des défauts à masquer, ce sont, au contraire, les miroirs de l'âme. Quoi de plus beau et de plus émouvant que le visage ridé d'un vieillard qui vous sourit ? On éprouve, à peu de chose près, le même trouble en contemplant l'expression grimaçante d'un enfant qui vient de naître. Mort et naissance ou mort et renaissance ; toujours et encore la même indicible émotion ressentie devant l'évidence d'une vie qui ne s'arrête jamais.

Désincarnée, elle revient guérie d'un cancer en phase terminale

Lilou Mace est une journaliste d'origine française qui réside à Chicago. Elle sillonne la planète pour alimenter sa Web TV d'interviews de personnes s'intéressant à la spiritualité. Cette infatigable globe-trotteuse est venue me rencontrer au mois de mai 2012, à Toulouse, pour un entretien filmé d'une vingtaine de minutes. Elle diffuse le fruit de son travail dans le monde entier ; la vidéo que nous avons tournée ensemble a été visionnée plus de 10 000 fois dès la première semaine de sa mise en ligne. Voir : www. lateledelilou.com, *La Vie de l'au-delà*. C'est dire la notoriété considérable de cette jeune femme.

Bien avant de me faire l'honneur de cette petite visite dans la ville rose, Lilou Mace avait interviewé Anita Moorjani à Hong Kong. Sachant que je m'intéresse aux NDE, Lilou m'avait envoyé le lien de cette surprenante vidéo avant notre rencontre (consultable en version sous-titrée sur www.lateledelilou.com, *Anita Moorjani's Near Death Experience*). Je rapporte dans ces quelques lignes un résumé de la stupéfiante guérison de cette miraculée.

En 2006, Anita Moorjani était une jeune femme atteinte d'un cancer lymphatique invasif. Arrivée au stade terminal de sa maladie, Anita sombra dans un coma profond. Le dernier bilan d'extension tumorale révélait une prolifération cancéreuse majeure, avec de multiples tumeurs réparties depuis la base du crâne jusqu'au thorax ainsi qu'au niveau de l'abdomen. Certaines tumeurs étaient de la taille d'un citron. Les médecins ne lui donnaient pas plus de trente-six heures à vivre quand arriva l'inconcevable. Alors que tous les spécialistes qui l'entouraient la pensaient totalement inconsciente et qu'ils venaient de déclarer à sa famille qu'il n'y avait plus aucun espoir de survie, la mourante racontera plus tard qu'elle évoluait dans un état de bien-être, de liberté et de légèreté qu'elle n'avait jamais connu auparavant. Elle avait la possibilité de tout percevoir de son entourage et même à distance de son corps ; elle savait, par exemple, que son frère, sans être averti de quoi que ce soit, avait décidé de venir la rejoindre à Hong Kong en faisant trois heures de voiture pour gagner l'aéroport le plus proche. Anita progressait dans un autre univers que le nôtre ; elle rencontra son père décédé dix ans plus tôt. Elle baignait dans un amour inconditionnel, comprenait la logique de toutes ses vies et l'apparition de son cancer qu'elle percevait désormais comme étant la résultante de toutes ses peurs inutiles. Dans la dimension dans laquelle elle se trouvait, le temps n'existait pas ; tout arrivait simultanément et elle avait également la possibilité de se déplacer à sa guise dans l'espace, sans aucune limite ni aucune contrainte. Elle comprit que « nous sommes tous des êtres spirituels reliés à une même conscience unifiée, qui est l'une des facettes de Dieu. » Son esprit entra en connexion avec celui de son frère : « *Séparée de mon corps, je percevais toutes les pensées de ceux sur lesquels je portais mon attention : mon mari, mon frère, ma mère, les médecins, les infirmières, et nous ne formions qu'un seul esprit. Je vivais toutes leurs émotions. J'entendais parfaitement mon mari qui me chuchotait inlassablement à l'oreille : "Je t'attends, reviens, reviens..." Les corps nous séparent, mais sans corps nous ne sommes qu'un seul esprit.* » Un choix lui fut alors offert : revenir dans son corps ou rester dans cette dimension dans laquelle elle s'épanouissait. Elle n'avait pas du tout envie de partir, mais son père lui demanda de retourner dans son enveloppe de chair. Anita comprit que c'était ce qu'elle devait faire. Son père ainsi qu'une présence intense qualifiée de « source », accompagnée de sa meilleure amie, décédée d'un cancer, la conseillèrent dans ce sens. L'esprit de la jeune comateuse perçut à cet instant qu'elle était « un être magnifique, comme tous les esprits incarnés » et on lui dit que, sachant cela, sa maladie disparaîtrait aussitôt parce que c'étaient uniquement ses peurs qui l'avaient rendu malade. Son père insista et lui dit : « Tu ne peux pas aller au-delà de cette limite et tu dois maintenant retourner là-bas ! » Anita sortit instantanément de son coma et revint à la vie. En quelques semaines, elle fut entièrement guérie. Tous les examens faits par la suite montrèrent que le cancer d'Anita Moorjani avait entièrement disparu. À la stupéfaction générale, et en particulier à celle de son oncologue, on ne retrouva plus aucune trace de la moindre cellule cancéreuse dans son corps ! Les médecins qui la soignaient durant son coma et son entourage furent encore plus surpris d'apprendre que la jeune femme fut en mesure de décrire tous les soins qui lui furent prodigués et de rapporter les conversations tenues à son propos à distance de son corps physique alors que tout le monde la pensait totalement inconsciente !

Une énigme de plus pour la médecine, si l'on ne se réfère qu'aux données scientifiques actuelles, qui sont pour le coup complètement dépassées ! Si on demande à Anita Moorjani quel enseignement essentiel lui a apporté cette expérience, elle répond : « Quand nous sommes vraiment nous-même, nous ne sommes qu'amour inconditionnel, nous sommes tous reliés et nous ne faisons qu'un. »

CHAPITRE 7

Donner du bonheur aux autres

Qu'as-tu fait pour les autres ? Qu'as-tu fait de ta vie ?

Nicole Dron, qui a connu une expérience de mort provisoire, a entendu deux questions essentielles quand elle s'est trouvée dans la lumière de son fantastique voyage : Qu'as-tu fait de ta vie ? Qu'as-tu fait pour les autres ?

La revue de vie vécue par la majorité des expérienceurs est une étape récurrente des NDE. À en croire tous ces témoignages, il semble bien que, dans les instants qui suivent notre ultime battement cardiaque, une rétrospection intime de notre vie terrestre monopolise notre conscience pour émettre une sorte d'autojugement bienveillant. Nous ressentons alors le bien et le mal que nous avons fait aux autres. Les moindres détails de nos actions sont comptabilisés. Les mauvais gestes et les vilains agissements sont ainsi mis en balance avec les actes de bravoure ou de générosité. Au total, cet examen de conscience amène une certitude absolue : le but essentiel d'une vie terrestre est de donner de l'amour aux autres. Un amour exclusif et inconditionnel.

Comment donner du bonheur aux autres ?

Les expérienceurs veulent partager l'amour inconditionnel qu'ils ont connu dans la lumière. Après leur expérience, ils seront tournés vers les autres, œuvreront pour des associations caritatives ou humanitaires, deviendront artistes pour offrir leurs créations ou encore médiums, magnétiseurs ou guérisseurs pour aider et soulager leurs contemporains.

J'ai remarqué que les hommes et les femmes qui avaient connu cette lumière d'amour au cours d'un arrêt cardiaque étaient en mesure de donner de l'amour aux autres de façon naturelle, désintéressée et spontanée et que leur seule présence suffisait à modifier positivement l'humeur de leur voisinage. En effaçant leur ego et en irradiant la joie, ils distribuent tout autour d'eux un amour inconditionnel qui peut être d'un puissant réconfort pour celles et ceux qui sont en période dépressive. On pourrait résumer les choses en disant que pour donner du bonheur aux autres, il faut avant tout être soi-même animé d'un bonheur et d'un amour inconditionnels.

Je rapporte ici un témoignage original, c'est celui de Myriam, l'épouse de Georges. En août 2003, Georges est réanimé sur une plage de la Côte basque, après une noyade. Le couple d'amis qui l'accompagnait a réussi à le sortir de l'eau puis à pratiquer un massage cardiaque et un bouche-à-bouche avant l'arrivée des secours. Lors de son arrêt cardiaque, le jeune homme, alors âgé de vingt-six ans, a fait une brève incursion dans l'au-delà. Il lui faudra cinq ans avant de « digérer » cette expérience et de la raconter à quelqu'un. Et c'est Myriam qui a eu la primeur de son émouvant témoignage.

« Nous étions couchés dans l'obscurité de notre chambre depuis pas mal de temps et, malgré l'heure avancée et l'obligation de se lever tôt le lendemain matin, nous ne parvenions pas à nous endormir. Je sentais que mon mari voulait me parler de quelque chose d'important, mais je ne savais pas quoi. Stupidement, il m'est arrivé de penser à ce moment-là qu'il allait me quitter pour faire sa vie avec quelqu'un d'autre, car il avait beaucoup changé depuis sa noyade. Je pensais qu'il voulait vivre une autre vie. Alors je lui ai dit : "Dis-moi ce que tu as à me dire, je sais que tu as quelque chose d'important à me dire, alors je t'en prie, dis-le moi, parle-moi." Il a poussé un grand soupir, a attendu quelques secondes, puis il s'est mis à tout me raconter de son accident. Il a parlé sans interruption pendant plus d'une heure. De toute manière, même quand il s'arrêtait de parler quelques secondes pour réfléchir ou pour reprendre son souffle, je ne pouvais pas parler, j'étais trop émue par ce qu'il me disait. Quand ses amis ont tenté de le réanimer sur la plage, il était au-dessus d'eux et il percevait leurs pensées et leur désespoir. Il s'est ensuite retrouvé devant Jésus, qui était entouré d'un halo de lumière bien plus intense que celle du Soleil. Jésus

lui a montré toutes les actions qu'il avait choisies de faire dans sa vie et qui avaient donné du bonheur aux autres. Georges a alors ressenti dans son âme ce bonheur qui coulait en lui comme un ruisseau d'or et de diamants. Ensuite, il vit ses mauvaises actions et ressentit aussitôt les douleurs, les peines et la tristesse qu'il avait provoquées chez les autres, comme autant de torrents de boue qui ruisselaient dans son âme. Jésus lui dit : "Va, retourne sur Terre, lave toute cette boue et reviens à moi couvert d'or et de diamants." Depuis cette expérience, Georges a complètement changé. Il passe son temps à aider les autres. Il dit tout le temps la même chose : "Il faut aider les autres à trouver le bonheur." Et ce soir-là, j'ai enfin compris pourquoi il répète tout le temps ça. »

Comment écouter le malheur des autres ?

Les soignants doivent avoir la faculté intuitive de se mettre à la place de leurs malades pour essayer de percevoir ce qu'ils ressentent. C'est ce qu'on appelle l'empathie.

De mon point de vue, un soignant sans aucune empathie ne mérite pas d'exercer son métier. Cette qualité est obligatoire, primordiale et indispensable. Dépourvu d'empathie, même en étant excellent technicien, un médecin, un infirmier, un aide-soignant, un chirurgien ou un anesthésiste sera inéluctablement un très mauvais praticien.

Mais il n'est pas nécessaire d'exercer une profession médicale pour être en empathie avec les autres. Chacun d'entre nous est confronté plus ou moins souvent dans sa vie aux malheurs de ses contemporains. Celui ou celle qui confie ses peines, ses souffrances, ses douleurs, ses difficultés ou son mal-être à une oreille attentive n'attend pas forcément un conseil ou une solution. Il ou elle espère surtout une écoute compatissante. Son malheur sera atténué en le partageant avec l'autre. C'est tout. Et c'est alors qu'il faut répondre présent et participer sans parler. Que dire, par exemple, à une mère qui vient de perdre son enfant ? Rien. Toute parole se voulant réconfortante ne pourrait qu'avoir un effet contraire.

Voici un extrait du courrier d'Hélène F., qui a vécu une NDE lors d'une opération chirurgicale. Elle décrit la façon dont sa meilleure amie a réagi quand elle lui a annoncé qu'elle devait subir une chimiothérapie pour traiter son cancer.

« Ce qui me gênait le plus, c'était le regard des autres et aussi leurs réflexions par rapport à mon cancer. Ils essayaient de me consoler en me disant que ce n'était pas grave, que maintenant, avec les progrès de la médecine, beaucoup guérissaient. Mais moi, je voyais bien dans leurs yeux qu'ils ne pensaient pas un seul mot de ce qu'ils me disaient et que, s'ils avaient été à ma place, ils auraient été comme moi, morts de trouille. Même Patricia, ma meilleure amie, m'a profondément déçue. Quand elle a su pour ma chimio, elle m'a dit : "C'est pas grave, il paraît que quand les cheveux repoussent, ils sont plus beaux qu'avant !" »

Essayer de consoler les autres lorsqu'ils annoncent leurs malheurs n'est pas chose facile. Souvent, les mots sont maladroits et essayer de rattraper les erreurs commises demeure un exercice encore plus difficile.

Nos consultants nous rendent visite après avoir vu le chirurgien. Ce qu'ils viennent d'apprendre n'est pas toujours réjouissant si bien que, lorsqu'ils franchissent le seuil du bureau de l'anesthésiste, leurs mines sont parfois déconfites. Dans ces situations, nos boîtes de mouchoirs jetables se vident rapidement. Et ce n'est pas ce confrère parisien, qui m'a raconté cette histoire, qui prétendra le contraire. J'ai reconstitué ici l'étonnante consultation d'un de ses patients devant être opéré d'un cancer digestif.

« – Il ne faut pas trop vous en faire, l'opération que l'on vous propose est relativement courante ; nous en faisons plus d'une centaine par an dans cet hôpital.

– Bof, de toute façon je n'ai pas de chance. Je n'en ai jamais eu dans ma vie...

L'anesthésiste faisait tout son possible pour essayer de remonter le moral du futur opéré. Après l'avoir rassuré sur les compétences et le savoir-faire de l'équipe chirurgicale, parfaitement rôdée pour le type d'intervention dont il allait bénéficier, il lui vanta les valeurs humaines du service dans lequel il allait séjourner.

– Vous verrez, on va vous chouchouter. Le service de chirurgie digestive est celui qui reçoit le plus de lettres de remerciements et de félicitations. Nos infirmières sont réputées pour leur disponibilité et leur gentillesse. Vous serez très bien. Après un court passage en réanimation, vous irez très vite en chambre, comme ça, vous serez plus tranquille, vous regarderez la télévision .

– Je ne regarde jamais la télé, j'ai horreur de ça !

– Vous pourrez recevoir des visites...

– Je m'en fiche, personne ne viendra me voir !

– *Vous avez bien de la famille...*

– *J'avais une famille : une femme et deux enfants qui se sont tués dans un accident de voiture il y aura sept ans la semaine prochaine !* Mon collègue m'avoua qu'il se sentit complètement désarçonné par cette dernière révélation. Que dire après l'annonce d'un pareil cataclysme ? Existe-t-il une aussi dure épreuve à subir dans la vie d'un homme ?

– *Euh, oui... C'est terrible, ça terrible. Vous n'avez pas d'autre famille ?*

– *Non, aucune. Je suis tout seul !*

– *Des amis alors ?*

– *Une amie, qui m'a aidé à surmonter ma peine. Après l'accident, j'ai voulu me suicider et c'est elle qui m'a sauvé.*

– *Ah ! Voyez, il faut vous battre. Il faut vous battre pour elle. Je suis certain qu'elle va de nouveau vous aider dans votre convalescence,* dit l'anesthésiste trop content de trouver enfin une motivation suffisamment solide susceptible de donner un élan vital à son patient.

– *Ça m'étonnerait !*

– *??? *

– *Oui, ça m'étonnerait beaucoup même !*

– *Pourquoi dites-vous ça ?*

– *Parce qu'elle a fait ses valises le mois dernier en me disant adieu. Elle ne reviendra pas !*

Mon confrère était désespéré. Plus il essayait de mieux faire et plus il enfonçait son consultant dans des situations déprimantes. Il décida de changer de stratégie.

– Bon, écoutez-moi bien. Il est vrai que votre vie ne doit pas être facile et que vous avez connu beaucoup de malheurs, mais il vous faut savoir que si vous voulez vous en sortir, si vous voulez guérir, il va falloir être positif sinon, votre dépression va vous détruire. C'est essentiel le moral pour la guérison. Vous savez ça ?

– Oui je sais bien, docteur, mais j'ai bien du mal à trouver quelque chose de positif dans ma vie

– Mais voyons, c'est impossible, tout le monde a au moins une chose positive dans sa vie. Je suis sûr qu'en réfléchissant un peu, vous aussi, vous allez trouver une chose positive dans la vôtre : la lecture, le cinéma, les voyages, je ne sais pas moi !

– Non, je ne vois vraiment pas quoi !

– Réfléchissez un peu

– Ah oui, c'est vrai, en réfléchissant bien, je viens de me rendre compte qu'on m'a annoncé quelque chose de positif il n'y a pas bien longtemps.

– Ah voyez, j'avais raison. C'était quoi ?

– Le résultat de ma sérologie HIV. Je suis séropositif ! »

Cette histoire, dont le dénouement tragique prête à rire, montre bien que la meilleure empathie passe le plus souvent par une présence silencieuse et attentive. Inutile de faire de longs discours moralisateurs ou d'encouragement, il faut être là, c'est tout. Être là et à l'écoute de l'autre.

Nos petits arrangements avec le réel

Le mensonge ne fait pas partie des sept péchés capitaux. On parle volontiers de « pieux mensonge » et on dit souvent que « toute vérité n'est pas bonne à dire ». Une société où chacun exprimerait à l'autre ce qu'il pense en toute franchise deviendrait vite invivable. Imaginons un peu : « Bonjour madame, vous avez un gros nez disgracieux qui gâche l'harmonie des traits de votre visage ! » Ou encore : « Tu as une femme stupide, je me demande bien pourquoi tu désires passer ta vie avec elle ! » Eh oui, pour évoluer en société, nous devons faire preuve d'une certaine hypocrisie, fabriquer des petits mensonges, faire des concessions, des « petits arrangements avec le réel » qui nous permettent de vivre en relative harmonie dans la collectivité que nous avons choisie. Il en va ainsi dans toutes nos relations humaines : sociales, professionnelles ou familiales. Oui, ne souriez pas, vous le savez fort bien. Même dans nos relations de couple, nous aménageons en permanence ces petits mensonges.

Mon intérêt affiché pour le paranormal me vaut quelques rencontres originales.

La jeune femme qui avait pris rendez-vous à mon secrétariat pour une consultation d'anesthésie ce matin-là n'était pas une patiente comme les autres. Elle m'annonça tout de suite la couleur :

« – Je n'ai pas besoin de consultation d'anesthésie, docteur, mais c'est le seul moyen que j'ai trouvé pour pouvoir vous parler tranquillement. Je vous paierai votre consultation de toute façon. »

Après lui avoir exprimé mon mécontentement sur l'incongruité de sa démarche, je décidai finalement de l'écouter.

« – Ce que vous allez me dire est très important pour moi. Je sais que vous étudiez depuis longtemps les expériences de mort imminente, la télépathie et la médiumnité.

– … ?

– Un médium, c'est bien quelqu'un qui a la possibilité de voir des entités désincarnées sans que personne d'autre ne soit capable de les voir, c'est bien ça, docteur ?

– Oui, c'est du moins ce que prétendent les médiums.

– Alors voilà, je vais vous dire ce qui m'est arrivé et ensuite, vous me direz ce que vous en pensez. Hier après-midi, une violente migraine m'a obligée à quitter mon poste de travail. J'étais tellement mal que mon chef m'a autorisée à rentrer chez moi pour me reposer. Quand je suis arrivée à la maison, j'ai trouvé mon mari au lit avec une femme nue. Cette femme était bizarre. Elle était très agitée et très pâle. Quand elle m'a vue, elle est partie dans la salle de bains et en est ressortie quelques secondes plus tard complètement habillée. Ensuite, elle est passée près de moi sans me toucher. Elle est partie sans un mot et sans un bruit ; je n'ai même pas entendu la porte d'entrée se refermer. J'étais tellement bouleversée par cette situation qui me semblait complètement irréelle que, moi non plus, je n'ai su quoi lui dire. Le temps que je réalise, elle avait déjà disparu. Mon mari, lui, était très calme. Il m'a dit qu'il était, tout comme moi, rentré précipitamment de son travail à cause d'une violente migraine et que le fait que je sois atteinte de la même douleur prouvait qu'on avait dû manger quelque chose qui n'était pas frais la veille au soir. Il m'a soutenu qu'il n'y avait jamais eu de femme à côté de lui et que j'avais dû être victime d'une hallucination ! Alors, de deux choses l'une, docteur : soit je suis médium et la femme que j'ai vue dans le lit était une entité venue de l'au-delà, soit mon mari est un salaud qui, en plus, me prend pour une conne et je demande le divorce ! Qu'est-ce que vous en pensez ? »

La jeune femme me dévisageait avec le regard anxieux de quelqu'un qui attend une réponse rapide. Il fallait improviser aussi rapidement que l'avait fait l'époux supposé volage.

« – Euh, vous dites que cette femme était très pâle ?

– Oui, eeeeeeexcessivement pâle, docteur ! Blanche comme la neige !

– Vous dites aussi que vous n'avez ressenti aucun contact physique, n'est-ce pas ?

– Absolument aucun !

– Elle ne vous a jamais touchée !

– Jamais ! ! !

– En plus, vous n'avez pas entendu la porte d'entrée se refermer quand elle est partie, c'est bien ça ?

– Tout à fait !

– Donc, si elle n'est pas passée par la porte d'entrée comment aurait-elle pu sortir ?

– Par les murs ? ! Mais oui, c'est ça, docteur, elle a dû traverser le mur ! ! ! Elle était pâle comme la mort et je n'ai jamais senti son contact.

– Et donc ?

– Donc, c'était bien une entité ! Mais bien sûr, une entité. Et dire que je soupçonnais mon mari ! Oh merci, merci docteur. Vous venez de sauver mon couple. »

Ah, nos petits arrangements ! Il serait bien difficile de vivre sans eux.

CHAPITRE 8

Créer son propre bonheur

La réalité subjective

La physique quantique nous précise que notre perception de la réalité est subjective et étroitement dépendante de notre observation. Selon le principe d'incertitude d'Heisenberg, on ne peut prédire quel sera le quark créé lors de l'observation. Mais ce choix serait l'apanage de la fréquence psy, immatérielle, qui choisit en fonction du corpuscule désiré. La matière corpusculaire, étroitement dépendante de l'espace-temps, est donc en permanence modifiée pour s'adapter aux nécessités du psy. Tout ceci peut sembler obscur et compliqué aux béotiens que nous sommes, mais en suivant ce raisonnement, on peut conclure plus simplement que nous sommes en mesure de modifier ce qui nous apparaît comme étant réel en fonction de la manière dont nous observons un phénomène ou une situation. Une réalité adaptée à ce que nous désirons devient par conséquent assez facilement accessible. Nous pouvons appeler cette réalité, la réalité « subjective ». La capacité à l'induire par le biais de notre conscience intuitive est aussi un moyen d'accéder au bonheur. Ainsi, si nous observons une situation avec le désir absolu de la voir se modifier, ce que nous voulons intensément se réalise sans que nous soyons intervenus physiquement dans la situation donnée. C'est uniquement notre psy et notre intention qui auront tout modifié. Nous sommes tous capables d'une telle prouesse. Oui, à condition de le vouloir vraiment, nous pouvons changer le monde !

Comment se dégager d'une situation embarrassante

Pour illustrer de façon plus concrète ce principe de réalité subjective, je rapporte ici un e-mail adressé par une internaute avec la réponse que je lui ai faite. La jeune femme se présente comme étant une personne ouverte au paranormal et à la spiritualité, mais se dit néanmoins perturbée par un grave problème de harcèlement.

Mon souci est que j'ai été victime durant une douzaine d'années de harcèlement de la part d'une personne atteinte d'une grave maladie psychique, la schizophrénie. Ce monsieur, qui a vingt ans de plus que moi et qui était marié au moment où je l'ai connu, dit être tombé amoureux fou de moi. Son harcèlement est allé très loin. J'ai dû déménager plusieurs fois, cacher mon numéro de téléphone, et même changer de nom pour lui échapper. Il m'a envoyé des centaines de courriers, dans lesquels il me disait toujours la même chose : qu'il m'aimera toujours, que, même si je n'entends plus parler de lui, il saura toujours où je suis, car il sait en permanence ce que je fais, il a le don d'ubiquité et il peut me voir même si des kilomètres nous séparent, et d'autres délires du même genre. À cause de lui, j'ai fait une profonde dépression. J'ai vécu des années d'angoisse, de terreur, je me sentais en permanence suivie, observée, etc. Il prétendait m'envoyer des signes, et bien des fois, j'ai eu très peur qu'il ne puisse réellement sortir de son corps et m'espionner sans arrêt. Les années ont passé mais le traumatisme est toujours présent, il faut très peu de choses pour le réveiller.

Je sais que la schizophrénie est une maladie compliquée et j'ai plus ou moins réussi à me convaincre que tout ce qu'il écrivait dans ses lettres n'était que pur délire, et que, dans ce monde, je peux vivre tranquillement, qu'il ne connaît pas ma nouvelle adresse et qu'il ne peut pas me faire de mal ni me surveiller en permanence tout en étant « décorporé ». Mais en revanche, une autre question me ronge : et après sa mort ? Je me suis toujours dit (je sais que ce n'est pas une pensée très charitable) que le jour où j'apprendrai son décès, je pourrai enfin me sentir libre, ne plus craindre qu'il interfère dans ma vie. Cette année, ce monsieur a eu soixante-deux ans. Je ne lui souhaite pas de mourir, comprenez-moi bien, mais je me disais que si cela devait arriver, je le vivrais sans doute comme un soulagement. C'est exactement ce qui est arrivé à l'une de mes amies, dont l'ancien petit ami, schizophrène également, est décédé ; à la différence que, en même temps qu'un immense soulagement, elle a ressenti de la tristesse, car elle avait aimé cet homme. Dans mon cas, il n'y a aucun sentiment de ma part pour mon harceleur. Quand je pense à lui, deux mots principaux me viennent : terreur et dégoût. Il me fait pitié parce qu'il est malade, mais surtout, il me fait très peur.

Seulement, si on admet, et je le fais, que la conscience survit au corps et est libre de se rendre où elle le désire, et si, je dis bien si, les sentiments « d'amour fou » que ce monsieur nourrit envers moi depuis toutes ces années (cela date de 1996) sont authentiques, et bien je crains fort que, s'il vient à décéder, il viendra encore me harceler... sauf que cette fois ce serait sans limite dans le temps et dans l'espace ! Y songer me fait froid dans le dos.

En tant que chrétienne, je me suis dit que Dieu ne permettrait pas qu'une telle chose se produise. Mais si je mets de côté ma foi et que j'en reste à l'aspect rationnel et scientifique, comme vous le faites d'ailleurs très bien, rien n'exclut que cela puisse se produire ! Qu'en pensez-vous, docteur ? Je suis très intéressée de connaître votre avis sur mon cas.

Je vous adresse mes amicales salutations et vous assure de toutes mes félicitations et de mes encouragements pour la suite de votre travail et pour tout le bien que vous faites autour de vous.

Mireille G.

Voici ma réponse :

Chère Mireille, votre courrier m'a interpellé. Ce que je vais vous écrire à propos de votre cas risque de vous révolter, de vous vexer, de vous mettre en colère, mais a aussi une bonne chance de vous guérir définitivement du harcèlement dont vous êtes la victime. Car c'est bien de harcèlement dont il s'agit. C'est pourquoi, j'ai choisi de vous écrire en toute franchise à propos de ce que vous m'exposez dans votre e-mail. La physique quantique rejoint la psychologie pour nous indiquer que nous vivons une réalité subjective, qui est étroitement dépendante de notre observation et de nos ressentis. Vous êtes actuellement possédée par l'esprit d'un pervers incarné chez cet homme qui vous harcèle et, comme vous le pressentez d'ailleurs très bien, il n'y a aucune raison que cela s'arrête au moment de sa mort physique. Il en sera ainsi si cela correspond à votre réalité. Mais vous pouvez agir sur cette réalité, car c'est vous, et vous seule, qui la créez. Et il ne dépend que de vous de la modifier radicalement. Ne m'en voulez pas de vous dire que c'est vous et vous seule qui êtes responsable de la situation actuelle. Sans vous en rendre compte, vous avez dû émettre des signaux qui ont fait de vous la cible idéale de cet esprit possessif qui empoisonne votre vie. Vous n'avez donc qu'une seule solution pour sortir de cette ornière : changer du tout au tout de comportement face à cette agression. Il faut vous persuader que vous êtes mille fois, des millions de fois plus forte que cet esprit possessif et qu'il n'arrivera jamais, plus jamais à vous atteindre. Et cette certitude sans faille deviendra alors bien réelle. Vous ne devrez avoir aucun doute là-dessus ! Le moindre doute serait pour l'esprit possessif l'occasion de reprendre le dessus. Puisque vous êtes chrétienne, vous pouvez vous aider de la prière pour aboutir à cet objectif. Dites-vous bien que dès que vous aurez pris cette décision de façon ferme et irrémédiable, vous serez définitivement débarrassée de cette possession. Vous serez alors étonnée et surprise de la facilité déconcertante avec laquelle cela s'est réalisé. Ne doutez plus et ayez foi en Dieu et dans les capacités qu'il vous a données.

Quelque temps plus tard, Mireille m'écrivit une longue lettre de remerciement dont je publie ici quelques extraits :

Je vous dois un très grand merci pour votre réponse et votre franchise. Sachez que vous ne m'avez ni révoltée, ni vexée, ni mise en colère, bien au contraire ! Ce que vous m'avez écrit m'a rassurée. Je ne connais rien à la physique quantique, mais je pressentais de moi-même que mes angoisses alimentaient le harcèlement et que, si je voulais que cela cesse, je devais cesser d'y penser. [...] Après vous avoir lu, j'ai maintenant pris conscience qu'il me suffit de vouloir moi-même que tout soit fini pour que ce le soit, et d'ailleurs, je peux moi-même avoir recours au soutien de la prière, sans passer par un intermédiaire du genre exorciste ou autre. J'ai maintenant confiance en Dieu, je sais qu'il veille *sur moi. Je ne manquerai pas de vous tenir au courant, mais je pense que l'on peut considérer cette question comme réglée et je vous en suis très reconnaissante. J'ajoute, pour finir, que vous avez vu juste en affirmant que j'ai sans doute envoyé des signaux qui ont permis cette possession et je sais très bien quelle est ma part de responsabilité dans cette « histoire ». Je vous remercie encore une fois infiniment pour votre soutien qui a été pour moi essentiel.*

Comme je n'ai eu aucune autre nouvelle de Mireille depuis ce mail, je pense que l'on peut en effet considérer « cette question comme réglée ».

Nous avons en nous tous les outils, toutes les armes de la guérison, toutes les clés du bonheur. Et ce sont ces mêmes outils, ces mêmes armes qui, mal utilisés, peuvent se retourner contre nous en créant du malheur et des maladies.

Comment créer son propre bonheur

Les expérienceurs nous disent et nous répètent que le bonheur n'est pas dans l'avoir. Qu'il est dans l'être ! C'est l'une des principales leçons qu'ils ont apprises quand ils furent plongés dans la lumière d'amour au cours de leur arrêt cardiaque. La possession de biens matériels poussée à l'excès débouche fatalement sur la frustration et le malheur. Les inconscients qui s'engagent dans cette course folle ne sont jamais rassasiés. Ils en veulent toujours plus ! Sans le savoir, ils foncent tout droit vers un mur qui, tôt ou tard, va les broyer. Nos sociétés occidentales exploitent le filon de ces esprits faibles pour leur vendre au prix fort les produits inutiles d'une surconsommation aussi absurde que ridicule. Or, il est désormais démontré que l'on peut se considérer parfaitement heureux sans avoir toutes les possessions superflues de nos civilisations modernes. Ainsi, une étude publiée par l'École des sciences politiques et économiques de Londres, en 1998, a montré que les pays qui sont les plus pauvres sont aussi ceux où leurs habitants se déclarent être les plus heureux. Cette enquête mondiale révèle que dans le hit-parade des territoires du bonheur, les cinq premières places sont attribuées, dans l'ordre,

179

au Bangladesh, à l'Azerbaïdjan, au Nigeria, au Philippines et à l'Inde ! L'Angleterre se situe au trente-deuxième rang, l'Allemagne au quarante-deuxième, et les États-Unis au quarante-sixième ! ! Une étude plus récente, réalisée en 2009 par la New Economics Foundation, conforte ce premier résultat surprenant. L'institut britannique dresse un classement de 143 pays, soit 99 % de la population mondiale, et décerne la première place au... Costa Rica ! Les cinq millions d'habitants de ce petit pays d'Amérique centrale ont l'HIP (*Happy Planet Index*) le plus élevé du monde. La fondation calcule cet index en pondérant l'espérance de vie, la satisfaction de la population et les mesures environnementales. Au Costa Rica, les habitants vivent en moyenne jusqu'à 78,5 ans. La politique locale s'est investie dans la préservation de l'environnement, la lutte contre la déforestation et le développement des énergies renouvelables, qui représentent 99 % de la production totale. Autre choix politique : pas d'armée ni de nucléaire. Dans ce classement très complet, neuf des dix premiers pays sont issus d'Amérique latine : le Brésil est neuvième tandis que les nations dites « développées » sont loin derrière. Le premier pays riche est la Hollande, mais elle n'occupe que le quarante-troisième rang devant l'Allemagne, cinquante et unième, l'Italie, soixante-neuvième, la France, soixante et onzième, et l'Angleterre, soixante-quatorzième. Les Européens faisant tout de même mieux que les États-Unis qui se retrouvent au cent-quatorzième rang ! Cette évaluation du bonheur des populations peut sembler pour le moins paradoxale quand on connaît l'injustice, la violence et la misère qui règnent dans ces pays-là. Mais les Latinos font grimper les scores du fait d'une aspiration plus faible aux valeurs matérielles et grâce à l'importance qu'ils attribuent aux liens familiaux et amicaux. Dans les pays riches, le bonheur et l'espérance de vie sont minés par les catastrophes environnementales et par la solitude. Selon les auteurs de cette singulière étude, les habitants des pays les plus heureux ne travaillent pas pour élever leurs revenus, mais pour donner un sens à leur existence en améliorant les relations humaines. Selon Enrico Giovannini, chef du département statistique de l'OCDE (Organisation pour la coopération et le développement économique), l'HPI est au moins tout aussi intéressant que le PIB pour apprécier la valeur d'un pays. On pourrait résumer grossièrement les choses en disant qu'il est préférable de vivre heureux dans un pays pauvre que malheureux dans un pays riche !

Les expérienceurs auraient donc encore raison sur ce point précis : mieux vaut être qu'avoir.

L'effet boomerang

Nous savons tous que « la haine appelle la haine » et que « qui sème le vent récolte la tempête ». Il est totalement vain et inutile de répondre à la colère et à la haine par des postures analogues, qui ne font qu'empirer la relation avec l'agresseur. C'est pourtant ce que nous avons tous tendance à faire dans ce genre de situation. C'est aussi de cette façon que des guerres éclatent. Mon engagement sur la défense de l'existence de l'au-delà m'a valu bon nombre d'attaques assez violentes ; j'ai même reçu des lettres anonymes de menace de mort « si je n'arrêtais pas tout de suite d'écrire des conneries sur l'après-vie ! » C'est dire… Je n'ai jamais répondu aux insultes et aux multiples coups bas donnés par mes détracteurs, car la vie s'est chargée de le faire à ma place ; eh oui le fameux effet boomerang existe, je peux en témoigner ! Et je l'ai même souvent trouvé particulièrement cruel pour mes ennemis. Aussi, ne vous inquiétez pas, la prochaine fois que vous serez méchamment agressé par des attitudes de haine et de colère, ne dites rien, laissez faire la vie et pensez en souriant au fameux effet boomerang.

Donner de l'amour

Il existe aussi une autre façon de déstabiliser son agresseur : lui répondre par de l'amour. Et cela, ce sont encore les expérienceurs qui me l'ont appris :

« De l'autre côté, tout est amour. L'être de lumière m'a dit que je n'avais pas assez donné d'amour aux autres et qu'il fallait en donner encore davantage quand je recevais des coups ou des injures et que je recevais tous ces coups et toutes ces injures car je n'avais pas assez donné d'amour aux autres. »

Henry P.,
policier victime d'un arrêt cardiaque
lors d'un repas de mariage.

Si on vous dit : « Tu n'es qu'un gros imbécile, incapable et stupide ! », vous pouvez bien sûr répondre : « Et toi, tu es le roi des cons ! » Mais celui ou celle qui vient de vous injurier se trouvera beaucoup plus déstabilisé si vous lui dites : « Il est certain que je ne suis pas aussi intelligent que je le souhaiterais, mais tu sais, je n'y peux rien, je fais de mon mieux ! » Votre agresseur sera subitement très mal à l'aise et il y a de bonnes chances qu'il regrette immédiatement ses méchantes paroles.

TROISIÈME PARTIE

Comment affronter
les pires épreuves
d'une vie

Cette dernière partie est une sorte de mise en pratique de ce qui a été développé précédemment. J'ai regroupé pour ce faire les pires épreuves d'une vie terrestre et les meilleures façons de les affronter.

Sachant que cette liste n'est pas exhaustive et que, face à un malheur donné, la douleur éprouvée est totalement subjective, chacun pourra trouver ici un certain nombre de « recettes » adaptables à sa propre situation.

Nous verrons comment se comporter face à :

- la perte d'un être cher
- la perte de son animal favori
- une maladie grave
- un handicap définitif
- sa propre mort
- la perte affective
- la perte de son métier
- la ruine

CHAPITRE 9

La perte d'un être cher

L'annonce

Mon métier m'impose régulièrement d'avertir les familles du décès de patients hospitalisés en réanimation. C'est toujours pour moi un moment extrêmement difficile et il est d'autant plus compliqué si celui ou celle qui est parti de l'autre côté du voile est une personne jeune, dont l'entourage n'avait pas envisagé un seul instant cette issue. En effet, quoi de plus terrible pour un père ou une mère que d'apprendre que son enfant vient de mourir brutalement dans un accident de la route alors qu'il était en parfaite santé et plein de projets une heure auparavant ? Comment trouver les mots ? Que dire ? Cela fait plus de vingt–cinq ans que j'exerce cette profession et je me sens toujours aussi gauche et désarmé pour délivrer cette redoutable nouvelle aux parents. Ceux qui reçoivent l'information traversent les étapes classiques du deuil qui sont maintenant bien connues : le déni, la révolte, le marchandage, la dépression, et enfin l'acceptation. Mais cela peut prendre des mois, voire des années. Et encore, dans la majorité des cas, l'acceptation ne sera jamais réalisée ! J'ai remarqué que les personnes ouvertes à la spiritualité et qui croient en Dieu traversent cette épreuve avec plus de facilité que celles qui sont athées et n'envisagent pas l'existence d'une vie après la vie. Les gens qui connaissent mes activités d'écrivain et de conférencier me livrent volontiers leurs états d'âme au moment de l'annonce d'un décès ; la plupart du temps, ce sont des sentiments de révolte et d'incompréhension qui les animent. En revanche, à distance du drame, beaucoup me disent avoir été aidés par les idées que j'expose sur la survivance de l'esprit après la mort physique et cela m'encourage à poursuivre mon travail de communication sur ce sujet très controversé.

La grande majorité de ceux qui ont connu une mort clinique raconte qu'ils baignaient dans un bonheur inconditionnel et un amour indicible au moment de leur arrêt cardiaque et qu'ils n'avaient qu'un seul désir : rassurer leurs proches pour leur faire savoir à quel point ils étaient bien et heureux. L'extrait du récit de Sylviane Gouze, victime d'un accident de voiture, le démontre parfaitement.

« ... Jésus me tendait les bras. Il me montra toute la bonté qu'il y avait en lui et elle était infinie. J'allais venir vers lui, me rapprocher de cette luminosité incroyable qui irradiait tout autour de lui et c'est à ce moment-là que j'ai entendu mes parents pleurer et crier. J'ai alors voulu redescendre sur Terre. Jésus l'a compris. Il m'a souri. Je me suis instantanément retrouvée sur les lieux de l'accident. Un médecin disait à mes parents que c'était fini, qu'il fallait être courageux, qu'on ne pouvait plus rien faire pour moi. Et moi je voulais dire à papa et à maman : "Ce n'est pas grave du tout, je vais retourner auprès de Jésus, je vous aime mais je suis mille milliards de fois mieux là-bas avec Jésus qu'avec vous sur cette Terre. Ne pleurez pas, il ne faut pas vous en faire pour moi, tout va bien." J'essayais de leur dire ça, mais je n'y arrivais pas. Alors, je me suis dit qu'il fallait que je retourne là-haut, je n'avais pas envie de rester là. Je voulais revoir Jésus. Mais je sentais que ça n'allait pas être facile du tout. Un autre médecin était près de mon corps abandonné et il a dit : "Le cœur est reparti, je vois battre sa carotide, c'est l'adrénaline,

on rebranche tout ! " Il avait l'air très excité. Toute l'équipe est revenue pour s'occuper de mon corps. Le médecin qui avait donné l'alerte ne s'arrêtait plus de répéter : "C'est l'adrénaline, c'est l'adrénaline ! " Ils étaient tous là, tout autour de mon corps. Ensuite, je me suis infiltrée entre eux et j'ai été comme aspirée à l'intérieur de mon corps. J'ai eu une sensation très spéciale, ça m'a fait comme si j'étais une spirale d'eau qui s'engouffre dans le trou d'un évier quand il se vide. Et cette spirale, c'était mon esprit. Maintenant, je sais que quand je dis "MOI", c'est l'esprit, ce n'est pas mon corps. Comme vous le dites dans vos conférences, cher docteur, nous sommes un esprit dans un véhicule terrestre. »

Il existe de nombreux témoignages comme celui-ci. Les expérienceurs sont affligés de nous savoir tristes au moment de leur mort clinique, alors que la plupart d'entre eux nagent en plein bonheur. Ceci ne doit pas nous culpabiliser. Il est normal de pleurer nos morts et d'être malheureux au moment de leur départ ; il y a ce manque terrible, cette perte douloureuse de contact physique brutalement stoppé. Mais il faut savoir que, dans ces moments-là, nous ne pleurons égoïstement que sur nous-même, sur notre propre malheur. Certainement pas sur celui de l'être cher disparu qui, dans la majorité des cas, n'aura jamais été aussi heureux de toute sa vie terrestre !

Le contact retrouvé

Entre notre monde matériel et celui des esprits désincarnés, le fil n'est jamais coupé. En règle générale, les médiums refusent de rétablir le contact avec les proches du disparu dans les trois à six mois qui suivent le décès car, disent-ils, il faut laisser le temps à l'esprit de monter et d'arriver à intégrer sa propre disparition terrestre. Celui-ci doit comprendre qu'il est mort sur cette planète et suffisamment dégagé de sa « matérialité ». En temps terrestre, la plupart du temps, l'esprit perçoit pourtant assez rapidement sa disparition du monde des vivants. Les témoignages des personnes qui ont connu une mort provisoire sont là pour nous le confirmer :

« Quand j'ai vu ce corps allongé sur la route et couvert de sang, j'ai été prise de nausées. Cette chair blanche entaillée de partout me dégoûtait, tout ce corps me dégoûtait. Puis, en voyant après ma voiture transformée en une sculpture de César, j'ai compris que je venais d'avoir un accident et que ce

corps qui me dégoûtait, c'était le mien. J'ai alors compris que j'étais morte et que je n'étais plus qu'un esprit sans corps. »

Liliane V.,
victime d'une EMP
lors d'un accident de voiture.

« Quand je les ai vus s'affairer à me faire un massage cardiaque, à m'injecter des trucs dans les veines, je leur ai dit : "Laissez tomber les gars, je suis mort mais je suis bien. Inutile d'essayer plus longtemps de me ramener à la vie, ce n'est pas bien grave, je suis tellement bien ! " »

Alain C.,
victime d'une EMP
lors d'un infarctus myocardique.

Les médiums ne souhaitent pas servir de canal trop tôt après le décès, car la douleur de la séparation de l'entourage est trop aiguë durant cette période et un contact trop précoce pourrait avoir de mauvais retentissements psychologiques chez leurs consultants. Certains pouvant même développer de véritables addictions en allant visiter tous les jours un médium différent pour ne pas être séparé trop longtemps de l'être cher passé de l'autre côté.

En fait, il existe des cas où le contact semble possible dès les premières heures qui suivent la mort. Christelle Dubois est aide-soignante dans une unité de soins palliatifs. Je donne ici sa véritable identité car elle est l'auteure d'un livre[23] que j'ai eu le plaisir de préfacer, dans lequel elle raconte l'anecdote que je rapporte ici. Elle procédait avec une collègue à la toilette mortuaire d'un patient récemment décédé lorsque l'entité de celui-ci se présenta à elle en lui demandant de ne pas oublier de lui mettre son béret et ses bretelles quand viendrait le temps de le préparer pour l'installer dans son cercueil. L'injonction de l'entité fut tellement insistante que Christelle en parla à sa camarade de travail. Cette dernière, pas très ouverte à ces choses-là, se moqua sans retenue des propos qu'elle venait d'entendre. Pour elle, les fantômes n'existaient que dans les films d'épouvante et il lui était tout à fait impossible d'adhérer à ce genre de thèse. Pourtant, quand elle reçut, plus tard, la famille venue lui remettre la housse qui contenait les habits du défunt, elle eut le souffle coupé quand elle constata qu'il y avait bien à l'intérieur… un béret et une paire de bretelles !

---

23. DUBOIS, C., *L'accompagnement des âmes dans l'au-delà*, Le Temps Présent, 2013.

Nos réactions basiques

Dès l'annonce du décès de l'être cher, la conscience analytique évalue la situation en stimulant les différentes réponses neuroendocriniennes au stress. Les catécholamines, libérées de façon brutale par les glandes surrénales dans la circulation sanguine, vont accélérer le rythme cardiaque et entraîner une vasoconstriction, réflexe provoquant une pâleur cutanée et une hypertension artérielle. Cette réponse hémodynamique sera parfois responsable de sensation de « jambes coupées » ou de pertes de connaissance. Nous ne pouvons pas lutter contre ces réflexes basiques neurovégétatifs ; ils sont inscrits dans nos gènes depuis de nombreuses générations, pour nous protéger des agressions en augmentant le débit sanguin du cœur et du cerveau. Comme je l'ai déjà indiqué, ce mécanisme dévie la circulation sanguine dans ces deux organes privilégiés. Le cœur augmente son débit et fournit par ce biais un apport supplémentaire de sucre et d'oxygène au cerveau pour le rendre plus performant afin que nous puissions prendre les meilleures décisions possibles. Cette réaction en chaîne est déclenchée par notre conscience analytique, qui nous alerte qu'un événement grave nous menace. Ce réflexe primitif permet donc de renforcer nos capacités d'adaptation. Il est centré sur notre petite personne pour tenter de répondre au plus vite à une foule de questions qui nous assaillent. Que dois-je faire ? Pourquoi la grande faucheuse l'a-t-il (ou l'a-t-elle) choisi(e) ? Pourquoi maintenant ? Pourquoi cela m'arrive-t-il à moi ? Que vais-je devenir sans lui (ou sans elle) ? Comment vivre sans lui (ou sans elle) ? À quoi ma vie va-t-elle ressembler, maintenant ? Comment vais-je prévenir les autres ? Comment vais-je supporter cette douleur, cette partie de mon passé définitivement disparue ? On le voit, toutes ces questions sont essentiellement centrées sur l'ego et sur la peur. Il pourra aussi exister un sentiment de rancœur vis-à-vis du défunt, surtout dans les cas de suicide. Pourquoi m'a-t-il (ou m'a-t-elle) fait ça à moi ? Il pourra même parfois exister un sentiment de jalousie par rapport au décédé : « J'aurais préféré être à sa place. » Une fois l'annonce du décès digérée, notre conscience analytique va poursuivre son effet destructeur en nous projetant dans le passé – nostalgie des moments vécus avec le défunt – et aussi dans le futur – angoisse d'une nouvelle vie sans lui (ou sans elle). L'analyse se poursuivra en mesurant les répercussions de la perte de l'être cher et en évaluant les conséquences personnelles de cette disparition. Elle comparera l'existence présente à celle du passé, mais aussi à celles des personnes de l'entourage en éprouvant du ressentiment à leur égard. Par exemple, une veuve jalousera un couple qu'elle a l'habitude de fréquenter ou bien une mère venant de perdre son fils enviera sa meilleure amie qui fêtera l'anniversaire de son petit garçon.

Plus tard enfin, notre conscience analytique aura tendance à vouloir nous protéger en nous orientant vers une fausse solution, celle de l'oubli, en nous imprimant le circuit suivant : souvenir de l'être cher décédé = nostalgie + frustration = douleur = tristesse = nécessité de fuite = hyperactivité professionnelle ou diverses addictions (jeux, drogues, alcool, sexe, etc.) ou, pire encore, suicide.

Les solutions suggérées par notre conscience analytique sont mauvaises, car toute fuite est bien sûr illusoire et totalement impossible. En effet, le seul fait de songer à fuir ne fait que renforcer le souvenir et le sentiment de tristesse et alimenter davantage ce circuit infernal. Quant au suicide, on peut aussi raisonnablement penser qu'aucun problème ne sera réglé de cette façon-là. L'esprit désincarné de celle, ou de celui, qui aura mis fin à ses jours aura encore un long chemin à accomplir de l'autre côté avant de pouvoir trouver la paix. « Faire le deuil », comme disent certains psychologues, ce n'est pas oublier, c'est, au contraire, intégrer l'information pour pouvoir l'accepter ; la différence est énorme ! Et cette acceptation ne passe sûrement pas par ces fausses solutions de fuite conseillées par la conscience analytique.

La transcommunication hypnotique

En novembre 2012, j'ai eu l'idée d'organiser à Montréal un atelier d'hypnose pour communiquer avec l'au-delà. Ce travail avait pour objectif de clôturer l'enseignement de deux conférences que j'avais faites au Québec durant la semaine. Partant du principe qu'il suffit de se connecter à sa conscience intuitive pour avoir la possibilité d'être mis en relation avec des proches disparus, il fallait que je trouve un moyen de débrancher les participants de leur conscience analytique. L'hypnose utilisée dans certaines chirurgies comme technique anesthésique pour opérer sans drogues et sans douleur m'apporta la solution idéale. Les participants furent amenés de cette façon dans des états successifs de relaxation, d'ancrage, d'isolement puis de connexion avec l'au-delà et la plupart d'entre eux entrèrent en contact avec leurs proches disparus. Je fus le premier surpris par l'efficacité de cette méthode que je souhaite maintenant développer. Par analogie avec la *transcommunication instrumentale* ou *TCI*, j'ai choisi de nommer ce nouveau lien avec l'invisisble : *la transcommunication hypnotique* ou *TCH*.

Comment faire ?

Au moment de l'annonce du décès de l'être cher, nous avons vu qu'un orage neurovégétatif s'abat sur nous. Bien qu'il soit impossible de l'éviter, nous pouvons limiter ses conséquences. Il est normal de ressentir cette montée d'adrénaline qui provoque tous les signes physiques que nous venons de décrire. Extérioriser cet afflux d'énergie par des cris, des pleurs ou des dépenses physiques subits, comme une course effrénée ou des coups frappés sur des coussins ou des matelas, sont des réactions saines et normales mais pas toujours possibles. Nos sociétés modernes ont, hélas, tendance à mépriser des attitudes aussi démonstratives. Par conséquent, peu de personnes osent libérer leur peine de cette manière.

Avant d'annoncer le décès d'un patient à un membre de sa famille, je m'assure que la personne est bien assise pour éviter une éventuelle chute, due au réflexe de vasoconstriction des membres, qui réduit l'apport de sang aux jambes. C'est ce qu'il vous faut faire en apprenant une mauvaise nouvelle : vous asseoir au plus vite quelque part, à terre, le dos appuyé sur un mur, si vous ne trouvez pas un siège disponible à proximité. Ensuite, il faut respirer profondément et calmement pour ralentir les battements cardiaques et réduire l'hypertension artérielle. Il faut essayer, et c'est le plus difficile, de se débarrasser de sa conscience analytique pour se connecter rapidement à sa conscience intuitive. Si je pouvais m'adresser à vous à ce moment précis, je vous dirais :

« *Fermez les yeux, mettez vos deux mains sur votre visage et appuyez vos pouces sur vos oreilles pour vous couper de toute information sensorielle. Débarrassez-vous de toutes les idées qui analysent la situation, elles sont exclusivement relayées à votre petite personne et ne s'adressent qu'à votre ego en renforçant vos peurs et votre colère. Pensez uniquement à l'être cher qui vient de partir. Adressez-vous à son esprit désincarné. Ne pensez surtout pas à vous. Parlez par télépathie à cet esprit qui vient de se libérer de son enveloppe corporelle. Souhaitez-lui un bon et beau voyage de l'autre côté. Dites-lui combien vous l'aimez. Donnez-lui l'autorisation de monter dans la lumière. Dites-lui que vous savez qu'il va être heureux, car vous avez entendu le récit de certaines personnes déclarées mortes qui sont revenues pour raconter ce qu'elles avaient vécu. Dites-lui qu'un jour vous aussi vous ferez ce même voyage et que vous vous retrouverez. Dites-lui combien vous êtes heureux de le (ou de la) savoir heureux(se). Demandez-lui de vous accompagner tout le long de votre vie terrestre et de vous répondre chaque fois que vous l'appellerez. Priez. Quand vous sentirez que votre mental est mis en sourdine et que les pensées dirigées vers vous deviennent rares, inspirez une grande bouffée d'air et offrez à l'être cher tout votre amour en lui donnant la permission de partir dans l'au-delà. »*

J'ai rassemblé des centaines de témoignages de personnes qui ont vécu des expériences de mort provisoire. Ces malades ou ces blessés qui ont connu cette singulière métamorphose m'ont souvent confié combien ils auraient été heureux de pouvoir dire à leurs proches le bien-être dans lequel ils baignaient au moment où ils étaient désincarnés. La plupart du temps, ils ne percevaient de leur entourage que des pensées négatives et l'immense tristesse qui les accablait. Et cela les désolait. On peut facilement imaginer la joie qu'ils auraient ressentie en ayant la possibilité de communiquer par télépathie avec la conscience intuitive d'un proche partageant leur bonheur en leur donnant l'autorisation de s'élever dans la lumière.

Les médiums peuvent entrer en contact avec les entités désincarnées. Mais une chose est certaine : nous avons tous en nous des facultés médiumniques ! Et je n'ai encore rencontré aucun médium digne de ce nom qui ne soit pas d'accord avec cette évidence. Certes, nous sommes inégaux dans nos capacités humaines et la médiumnité n'échappe pas à l'immuabilité de la règle. Il n'empêche, vous comme moi sommes en mesure d'entrer en connexion avec l'au-delà, à la seule condition de faire taire le bruit assourdissant de notre conscience analytique, qui relie de façon dogmatique le réel à l'explicable, le possible au sensoriel, la vérité au tangible. Il suffit de se connecter à sa conscience intuitive pour s'ouvrir à une autre réalité, qui est reliée à toutes nos capacités extrasensorielles. Il faut donc s'isoler au calme et réduire au maximum les informations reçues par nos cinq sens. Silence, obscurité, aucune stimulation tactile, olfactive ou gustative. Le mieux est de se détendre sur un lit en s'imaginant être porté par un petit nuage. On peut toutefois s'aider d'une musique douce et relaxante en respirant des parfums doux comme l'encens ou certaines huiles essentielles à la lueur de la flamme d'une petite bougie blanche, mais sans plus. On laisse venir l'image du défunt en pensant à lui. Dès que votre mémoire aura reconstitué son visage, celui-ci apparaîtra devant vous. Au moment où son regard croisera le vôtre, vous pourrez vous adresser à lui en le remerciant de vous avoir répondu. Posez-lui votre (ou vos) question(s) et laissez-le partir. Inutile de prolonger le contact plus longtemps. Il m'arrive assez souvent d'appeler de cette façon mon père décédé et l'ensemble de la séance ne dure pas plus d'une minute ou deux. Vous aurez la surprise d'obtenir une réponse immédiate ou dans des délais assez brefs. Celle-ci arrivera sous la forme d'un signe, d'un message donné par un ami ou par une connaissance, ou encore d'une information qui vous sera offerte sous la forme d'un rêve au cours d'une nuit de sommeil. À vous de savoir ouvrir votre cœur pour la percevoir. Dans le deuxième chapitre de cet ouvrage, je donne deux exemples de connexion aux consciences d'entités désincarnées. Dans le premier cas, mon fils Laurent a appelé son grand-père paternel décédé avant de s'endormir pour trouver une solution à son problème de couple et il a obtenu trois réponses : un conseil prodigué pendant son sommeil par l'esprit de mon père, un signe fort par l'intermédiaire d'une rose desséchée dès le lendemain matin et la confirmation par un appel téléphonique de la médium Mireille Descloux. Dans le second cas, l'information est arrivée spontanément à Marie-Thérèse, alors qu'elle s'adressait verbalement à l'esprit désincarné de son mari. Oui, nos chers disparus veillent sur nous et ils répondent toujours présent quand nous faisons appel à eux.

Une épreuve enrichissante

Nous nous révoltons d'avoir à subir des épreuves aussi cruelles que celles imposées par la perte d'un être cher, mais nous ignorons totalement que les vécus les plus terribles nous aident à grandir. Nous n'avons pas toutes les clés pour comprendre l'inacceptable. Il y a, en France, plus de soixante-dix associations d'aide aux personnes en deuil qui travaillent bénévolement pour soulager celles et ceux qui sont dans la douleur. À quelques rares exceptions près, j'ai donné une conférence dans chacune d'entre elles et je suis même revenu plusieurs fois dans certaines. J'ai très souvent trouvé des personnes qui me disaient avoir été « éveillées » à la spiritualité grâce, oui j'écris bien « grâce », à la perte de leur enfant. Je sais que ce que je viens d'écrire va scandaliser beaucoup de lecteurs, mais c'est la vérité ; des hommes et des femmes normalement constitués, sains de corps et d'esprit, ont intégré cette tragédie comme « une chance », « une faveur divine », « une grâce », « un cadeau du ciel » ! Il faut, bien sûr, être très avancé sur son chemin spirituel avant d'en arriver à une telle conclusion. Cela nécessite beaucoup de travail de réflexion, de méditation et de prière.

Ce qu'il faut retenir

– Au moment de l'annonce du décès, il est normal de ressentir un certain nombre de phénomènes physiques subséquents à la libération des hormones du stress dans la circulation sanguine. Si les lieux et les circonstances le permettent, il est bon de crier, de hurler, de pleurer pour limiter les effets délétères de l'adrénaline sur le corps et convertir ce trop-plein énergétique par de l'activité physique. On peut aussi trottiner sur place ou marcher d'un pas rapide pour renforcer la circulation des membres inférieurs et éviter le phénomène « des jambes coupées ». Dans les cas où ces extériorisations de douleurs ne sont pas réalisables, on doit rapidement s'asseoir, respirer profondément et le plus calmement possible.

– Dans tous les cas, il faut se déconnecter au plus vite de sa conscience analytique en chassant toutes les idées reliées au futur, au passé et à soi-même. Penser intensément à l'être cher qui vient de décéder en lui donnant la permission de monter vers la lumière. Prier pour lui avec amour dans ce seul but.

– Penser que le lien avec l'être cher désincarné ne sera jamais coupé et qu'il suffira de faire appel à son esprit par l'intermédiaire de sa conscience intuitive pour être en connexion avec lui et recevoir des réponses.

– Enfin, comprendre et accepter que la séparation physique avec la personne que l'on aime puisse être une épreuve enrichissante pour son propre chemin de vie en offrant une formidable opportunité pour s'ouvrir à la spiritualité.

CHAPITRE 10

La perte de son animal favori

Les animaux ont-ils une âme ?

La question m'est très souvent posée à l'issue de mes conférences ou lors de séances de dédicaces. Cette interrogation me surprendra toujours, car je ne vois vraiment pas ce qui pourrait faire croire qu'un animal est un simple objet sans esprit quand on connaît la quantité d'amour inconditionnel qu'un chat ou qu'un chien est capable d'offrir à son maître. Il faut vraiment être sourd, aveugle ou totalement innocent pour formuler ce doute. Pardon pour celles et ceux qui m'ont interpellé de cette façon, mais bon…

Oui, les preuves d'amour des animaux envers les humains sont sans limite ; on a vu des chats parcourir des centaines de kilomètres pour retrouver leurs maîtres, des chiens se laisser mourir de chagrin sur la tombe de ceux qui les ont élevés. Tout le monde connaît ce genre d'histoires. C'est sans compter les multiples services rendus par la générosité des chiens d'aveugle ou d'avalanche, qui n'hésiteraient pas une seule seconde à sacrifier leur vie pour sauver celle d'un humain. Mais nous, que faisons-nous pour eux en retour ? Que faisons-nous, à part exploiter l'amour qu'ils nous donnent ? Nous les attachons à un arbre ou les abandonnons sur les autoroutes lorsqu'ils deviennent trop encombrants. Nous les regardons agoniser en leur plantant des banderilles sur le dos, nous les massacrons pour récupérer leurs peaux ou leurs cornes aux prétendues vertus aphrodisiaques. En plus, oui, en plus, certains osent demander si les animaux ont une âme ! Vous l'avez bien compris, cette question a le don de m'agacer grave comme disent nos jeunes. Il y a fort à parier qu'arrivée à un niveau d'évolution suffisant, l'humanité tout entière sera devenue végétarienne et s'interrogera sur le degré de sauvagerie qui poussa ses ancêtres à tuer des animaux pour les manger ou, pire encore, à organiser des corridas pour jouir d'un spectacle aussi stupide que cruel.

Les animaux disparus apparaissent volontiers dans les relations médiumniques près des entités désincarnées. Par ce biais, ils peuvent donner au consultant un signe de reconnaissance supplémentaire authentifiant la réalité du contact. Par exemple, un médium pourra percevoir la présence d'un chien de chasse mort depuis des dizaines d'années aux côtés de son prédateur de maître parti depuis peu dans l'au-delà. Je me souviens d'un médium qui, au cours d'une séance publique, avait localisé un perroquet très bavard sur l'épaule d'un esprit qui s'avérait être celui d'une femme revêtue d'un châle de couleur rouge. La petite-fille présente dans la salle n'eut de ce fait aucun mal à reconnaître sa grand-mère décédée. Le plus amusant dans cette anecdote, c'est qu'un véritable dialogue s'instaura entre l'esprit du volatile et le médium, tandis que la mamie désincarnée ne faisait qu'approuver tout ce que transmettait son oiseau qu'elle avait, paraît-il, longtemps pleuré.

Les expérienceurs décrivent aussi des contacts de cet acabit lors de leurs épisodes de mort provisoire. Voici quelques exemples de récits qui attestent la présence des esprits des animaux dans l'au-delà.

Quand je suis entrée dans la lumière, tous les chats que j'avais élevés se sont précipités vers moi. Ils étaient tous là, les onze chats que j'avais tant aimés tout au long de ma vie. Même Titus, celui qui avait accompagné mon enfance et toute mon adolescence.

Béatrice P.,
revenue d'un arrêt cardiaque
de plus de vingt minutes
après une électrocution.

Ce qui m'a le plus étonné dans cette expérience, c'est de voir, à côté de mon grand-père décédé, son fidèle chien, Bobby, qui était mort quelques mois seulement après lui.

Jean-Luc V.
qui a vécu une expérience
de mort provisoire en 1978,
à la suite d'une noyade en piscine.

Dans l'au-delà, j'ai retrouvé Morgan, mon petit chat qui s'était fait écrasé par une camionnette sur le port de Marseille trois ans avant mon EMP. Morgan m'a regardée avec ses grands yeux verts et il m'a parlé par télépathie pour me demander de retourner sur Terre, pour dire aux hommes que les animaux ont une âme. Docteur, je vous envoie ce courrier pour que ce message de Morgan ne reste pas sans suite. Peut-être en parlerez-vous un jour dans un de vos livres ? Merci pour tout ce que vous faites pour nous qui passons souvent pour des fadas en racontant des histoires que trop peu de gens peuvent entendre.

Extrait du récit du coma diabétique
de Jocelyne G. qui sera probablement heureuse d'apprendre
que le message de Morgan peut désormais circuler
par l'intermédiaire de ce livre.

La conscience intuitive des animaux

Nous avons déjà vu que les animaux, comme les enfants, ont des connexions privilégiées avec leur conscience intuitive. Très peu influencées par leur conscience analytique, leurs perceptions extrasensorielles en sont d'autant renforcées. Les animaux ont, par ce biais, des facultés télépathiques, précognitives, médiumniques et intuitives bien supérieures aux nôtres et la littérature regorge de récits époustouflants qui attestent cela. Par exemple, Rupert Sheldrake, qui a longuement étudié les phénomènes télépathiques, a pu démontrer que des chiens modifiaient leurs comportements dès que leurs maîtres respectifs décidaient de venir les rejoindre, alors que plusieurs kilomètres les séparaient[24].

---

24. SHELDRAKE R., *Les Pouvoirs inexpliqués des animaux – Pressentiment et télépathie chez les animaux sauvages et domestiques.* Éd. J'ai lu Aventure secrète, 2005.

Le célèbre chat Oscar[25], quant à lui, pouvait prédire, quelques heures à l'avance, le départ pour un monde meilleur des locataires d'un établissement de soins. Son intuition ne fut jamais mise en défaut au grand étonnement des soignants avec lesquels il cohabitait. L'étude du « cas » Oscar a même fait l'objet d'un article dans le prestigieux *New England Journal of Medicine*, avant de devenir un livre.

Que dire de l'incroyable comportement des animaux sauvages qui ont pris la fuite quelques heures avant le tsunami de 2005, comme s'ils avaient pressenti cette catastrophe naturelle bien avant tous les systèmes d'alertes électroniques pourtant très performants ?

Quant aux pouvoirs médiumniques des chats, ils sont maintenant bien connus. Philippe Ragueneau en parle dans son livre[26]. Catherine Langlade, son épouse décédée, apparaissait régulièrement devant son chat dans des endroits bien précis de la maison. Ce journaliste aussi rigoureux

---

25. DOSA D., *Un chat médium nommé Oscar*. Éd. Presses du Châtelet, 2010.

26. RAGUENEAU P., *L'Autre Côté de la vie*. Éd. Pocket, 2001.

que méthodique disait savoir parfaitement reconnaître ce contact improbable entre l'esprit de son épouse et son animal favori.

Nos animaux de compagnie savent percevoir et calmer nos peurs et nos angoisses. Leur présence est précieuse dans nos habitations et, validant ce phénomène, de nombreuses structures de soins reçoivent périodiquement des chiens ou des chats pour réconforter les patients qu'ils hébergent.

La disparition d'un animal de compagnie est toujours traumatisante et il serait absurde de vouloir la négliger. Il n'y a pas d'échelle de douleur dans le deuil et certaines disparitions d'animaux induiront chez leurs maîtres des chagrins tout aussi importants que ceux engendrés par des pertes humaines. Nos sociétés modernes ont tendance à culpabiliser celles et ceux qui pleurent la mort de leur chien ou de leur chat, sous prétexte qu'il existe des choses bien plus graves en ce bas monde. Je ne suis pas du tout d'accord avec cela ; il est normal d'éprouver de la tristesse dans ces situations de deuil.

Comment faire ?

Ce qui vient d'être écrit montre bien que la perte de son animal favori est en tout point comparable à celle d'un être cher. On devra donc procéder de la même manière pour pallier les effets basiques de l'annonce de la disparition : se déconnecter de son mental analytique en se concentrant sur la conscience intuitive. Il est inutile et même néfaste d'être dans la nostalgie ou l'angoisse du futur. La perte de son chat, de son chien ou d'un autre animal de compagnie doit être accompagnée de prières. Il faut prier en adressant à son animal favori des pensées d'amour pour favoriser son passage dans la lumière. On pourra aussi lui demander d'être présent pour nous accueillir lorsque notre tour sera venu de passer dans l'au-delà. Les récits des expérienceurs nous prouvent bien que ces retrouvailles sont possibles si elles sont désirées.

Ce qu'il faut retenir

– Les animaux ont un esprit, et donc une âme, qui évolue dans l'au-delà.

– La conscience intuitive des animaux et les perceptions extrasensorielles qui en découlent sont bien plus développées que celle des humains. Cette singularité leur donne des capacités précognitives, intuitives, médiumniques et télépathiques très performantes.

– Nous ne devons pas culpabiliser d'être malheureux de la mort d'un animal ; cette réaction est tout à fait normale et logique.

– Nous devons prier au moment de la mort de notre animal favori pour l'aider à monter dans la lumière.

– Si nous le souhaitons, nos animaux favoris seront là pour nous accueillir au moment de notre mort.

CHAPITRE 11

Une maladie grave ou un handicap définitif

Les fondamentaux

Avant d'aborder ce chapitre, il faut rappeler un certain nombre de données pathogéniques qui sont désormais bien connues et documentées.

Nous créons nos maladies

Nous savons que la peur et le stress renforcent les sécrétions endogènes de catécholamines et induisent par ce biais de l'hypertension artérielle, de l'artérite, des infarctus du myocarde, des insuffisances cardiaques et des accidents vasculaires cérébraux. Nous savons aussi que les personnes soumises à un stress prolongé mal contrôlé dépriment leurs défenses immunitaires et ont un abaissement significatif de leurs lymphocytes T4. En détruisant en permanence les virus, les bactéries et les proliférations cancéreuses qui nous assaillent, ces cellules, qui sont de véritables usines enzymatiques, nous protègent et nous conservent en bonne santé.

Les maladies cardiovasculaires, les cancers et les pathologies infectieuses étant les principales causes de mortalité, on peut donc en déduire que c'est essentiellement le stress qui nous rend malade et qui nous tue ! Mais les choses ne sont pas aussi simples que cela, car à condition de savoir le maîtriser et le dominer, le stress n'est pas nécessairement délétère. Il pourrait même, au contraire, être bénéfique et nous permettre d'obtenir une meilleure santé.

Une étude très intéressante a été faite sur des rats en cage. On a greffé sur le dos de chaque petit rongeur des cellules cancéreuses et on a réparti ces animaux d'expérimentation en trois groupes. Dans le premier lot, les bestioles menaient une vie normale, sans aucun stress. Dans le deuxième, un courant électrique passait de façon aléatoire dans le plancher de la cage. Et enfin dans le troisième, les rats pouvaient interrompre le courant qui passait de manière imprévisible dans leurs pattes grâce à un levier qu'ils pouvaient actionner. Les résultats sont surprenants : les rats de la troisième cage développèrent moins de cancer que ceux de la première ! Autrement dit, le nombre de rats stressés et qui pouvaient stopper leur agression en interrompant le courant ayant développé un cancer était inférieur à celui des rats soumis à aucun stress !! Il ne suffirait donc pas de se soustraire aux agressions de la vie en vivant comme un ermite, coupé de tout au milieu des bois, pour ne pas tomber malade. Apprendre à affronter nos peurs nous permettrait d'obtenir une meilleure santé en transformant les actions négatives du stress en moteur d'actions positives. Le stress : une formidable opportunité pour être en meilleure santé. Voilà une notion aussi nouvelle qu'inattendue, non ? Les médecines alternatives, qui ont une vision plus holistique de l'individu et qui agissent en amont de la maladie, plaident dans ce sens. La médecine que nous pratiquons à l'hôpital est essentiellement symptomatique ; son action se résume à réparer tant bien que mal les dégâts quand il est presque trop tard… Je persiste à dire qu'il devrait y avoir une complémentarité intelligente entre ces deux façons d'appréhender la maladie et non pas une opposition systématique.

Mon expérience m'a montré que les personnes qui étaient dans la peur et angoissées de se faire opérer développaient beaucoup plus de complications post-chirurgicales (infections nosocomiales, infarctus, embolies pulmonaires, accidents vasculaires cérébraux, retard de cicatrisation) que celles qui étaient sereines et tranquilles. J'ai aussi remarqué que la simple annonce d'une maladie grave accélérait, chez beaucoup de patients, les processus pathologiques en établissant une sorte de cercle vicieux qui peut se résumer ainsi : peur, annonce de la gravité d'une maladie, renforcement de la peur, aggravation de la maladie, majoration de la peur, etc. Ce processus autodestructeur ne pourra être stoppé qu'en se détachant de la conscience analytique, qui entretient les sempiternelles questions centrées sur le passé, le futur et le paraître, qui sont toutes liées à l'ego.

Nous créons nos guérisons

Si l'on admet que nous créons le lit de nos maladies et de leur évolution péjorative, on peut aussi en déduire que nous avons les capacités de les éviter et même de les guérir. De nombreuses études confortent cette hypothèse. En effet, il a été démontré que croire en Dieu, en une vie après la vie, pratiquer avec foi et conviction une religion, augmentait l'espérance de vie et réduisait le nombre et la fréquence des maladies. Fort de ces résultats, l'Organisation mondiale de la santé (OMS) a reconnu en 2007 de façon officielle les valeurs thérapeutiques de la spiritualité.

Les travaux les plus récents sur le sujet furent menés et publiés en 2012 par des neurologues de l'université de Toronto. Dans cette étude, des individus croyants et athées furent soumis à différents problèmes à résoudre rapidement et les sujets ainsi testés furent ensuite confrontés à leurs erreurs. Dans le même temps, on observait au scanner cérébral les réactions de leur cortex cingulaire antérieur. Cette zone particulière du cerveau s'active fortement en cas de stress ou de tension psychique et provoque des libérations de catécholamines par les médullosurrénales.

En cas de mauvaise réponse aux problèmes posés, le cortex cingulaire antérieur des sujets athées s'activait fortement, tandis que celui des croyants n'avait qu'une très faible activité. Cette étude montra que le fait d'être croyant réduisait les mauvaises réactions à l'imprévu. Croire en Dieu et en une vie après la vie permet de reconsidérer un événement non conforme aux attentes et de l'interpréter en l'intégrant dans ses propres croyances. Avoir la foi peut donc aider à surmonter un événement imprévu et frustrant comme la perte d'un être cher ou la découverte d'une maladie incurable.

Plusieurs études scientifiques furent publiées au sujet des actions de la prière et de la méditation sur l'activité cérébrale. Celles-ci montrèrent qu'il y avait, la plupart du temps, un ralentissement significatif de l'activité électrique du cerveau durant ces périodes particulières de recueillement. La dernière publication sur le sujet fut réalisée en 2006 par le docteur Mario Beauregard, chercheur à l'Institut de neuroscience de Montréal. Ce scientifique de renommée internationale, qui a vécu lui-même une NDE durant son enfance, démontra que l'électro-encéphalogramme (EEG) de carmélites en prière, comme celui des bouddhistes en méditation, présentait surtout des ondes alpha, qui sont celles observées chez un individu aux yeux clos, éveillé mais détendu. Dans les lobes préfontaux, pariétaux et temporaux, des ondes encore plus lentes, de type thêta, apparaissaient aussi au fil de l'expérience. Mais c'est la présence d'ondes delta, d'une fréquence extrêmement lente, que l'on observe généralement uniquement lors du sommeil profond, qui distinguait les moments d'extase des religieuses de leur état conscient méditatif.

D'autres études, tout aussi passionnantes, démontrèrent que la prière et la méditation favorisaient la guérison et réduisaient les durées d'hospitalisation chez des patients en convalescence de pathologies cardiaques.

Au total, on peut dire que la spiritualité permet de diminuer les peurs et les angoisses en mettant au calme l'activité cérébrale et en réduisant les effets néfastes des catécholamines sur le cœur et les vaisseaux tout en amoindrissant la dépression immunitaire liée aux stress.

Rappelons-nous d'Anita Moorjani qui, revenue de la mort à la suite d'un cancer généralisé, déclara, une fois sortie de sa longue période de coma, que c'était la peur qui l'avait rendue malade et que sa NDE lui avait finalement fait comprendre que, pour guérir définitivement d'une maladie aussi désespérée que la sienne sans en subir la moindre séquelle, il suffisait de ne plus avoir peur et de garder une pleine confiance en soi.

Celle d'un être cher

On peut considérer qu'une maladie est grave lorsqu'elle entraîne un lourd handicap ou qu'elle évolue inexorablement et rapidement vers la mort. Dans ces cas précis, la pathologie va transformer l'être cher en une personne diminuée ou condamnée à court terme. La conscience analytique de l'accompagnant mesurera l'intensité du handicap et évaluera l'espérance de vie du malade ou du blessé. Elle induira des sentiments nostalgiques à propos des relations passées tout en suscitant une foule d'angoisses sur l'avenir. La relation accompagnant-malade sera entièrement parasitée et biaisée par ces multiples évaluations de la conscience analytique qui empêcheront de vivre la richesse de l'instant présent dans « l'ici et le maintenant ». Quand une authentique relation intuitive a lieu, elle est toujours magnifique et d'une intensité affective insoupçonnée. Par peur « de ne pas être à la hauteur », trop de gens fuient leurs proches, qui sont alors contraints de vivre seuls le grand départ ou leur lourd handicap. Et pourtant, en plus de vingt-cinq ans d'exercice, je n'ai jamais rencontré une seule personne pour me dire qu'elle regrettait d'avoir partagé ces instants-là ! Cette rencontre, qui introduit le lourd handicap ou l'imminence d'une mort annoncée au sein d'un puissant lien affectif, est une expérience aussi enrichissante pour le malade que pour son accompagnant. Ce qu'il y a de stupéfiant, c'est que dans mes observations, la seule présence de l'accompagnant semble compter. Les mots et les longs discours sont inutiles. Il faut être là, présent et disponible, totalement branché sur sa propre conscience intuitive qui privilégie l'instant T. Répondre aux questions lorsqu'elles sont posées, y répondre en toute honnêteté et sans aucun mensonge. Il est vrai que certains malades ne veulent pas savoir où ils en sont, mais ceux-là n'ont, en général, aucun interrogatoire à nous soumettre. D'autres veulent la vérité et on ne doit rien leur cacher, pas même, et peut-être surtout pas, l'imminence de leur mort. La personne qui va mourir le sait et la question qu'elle pose est une sorte de test de confiance. Imaginez-vous un peu à sa place : vous allez bientôt mourir et vous le savez. Vous demandez à la personne que vous aimez plus que tout au monde : « Je vais bientôt mourir ? », en espérant une réponse franche qui permettra de mieux partager l'instant, et celle-ci vous répond : « Mais non, arrête de dire des bêtises ! » N'auriez-vous pas l'impression d'être un tout petit peu trahi ? Ne penseriez-vous pas que votre meilleur compagnon refuse d'affronter avec vous l'évidence d'une vérité qui s'impose pour vous laisser seul devant la mort, votre mort, en vous abandonnant au moment décisif ?

Celle dont on est la victime

J'ai choisi de traiter ce sujet après avoir envisagé la grave maladie d'un être cher, car il faut dans ce cas se positionner comme si nous assistions une victime qui est en fait notre propre personne. Comme si nous étions l'accompagnant de nous-même, considéré ici en tant qu'individu gravement malade. Il faut, dans ces conditions-là, prendre suffisamment de distance pour observer la situation comme si nous étions en dehors de notre enveloppe de chair. Nous pouvons éprouver de la pitié, de l'empathie en observant le pauvre corps mutilé qui arrive au bout de sa course terrestre, mais nous savons bien que nous ne sommes pas ce corps, que nous ne l'occupons que pour un temps limité et que nous allons de toute façon un jour l'abandonner, le quitter, le « déshabiter » pour rejoindre la lumière d'amour indicible décrite par les expérienceurs. À ce point-là de notre parcours, nous pouvons penser que nous allons prochainement effectuer le magnifique voyage évoqué dans les NDE et que cette perspective va nous offrir beaucoup de joie et de bonheur – le fameux bonheur inconditionnel vécu par la majorité de celles et ceux qui ont connu une expérience de mort provisoire racontable. C'est le moment de prier et de se connecter à toutes les formes de conscience dont nous avons parlé : sa conscience pure, la conscience divine, la conscience universelle et les consciences désincarnées de nos êtres chers décédés, qui sont là pour nous aider. J'ai pu constater, avec de nombreux autres soignants travaillant en réanimation ou en soins palliatifs, que les mourants évoquent souvent la présence d'entités désincarnées au pied de leur lit. Ils disent reconnaître des proches décédés venus les chercher pour aller dans l'au-delà. Il est aussi étonnant de s'apercevoir que, au seuil de la mort, toute peur disparaît, une croyance en Dieu est souvent évoquée et la foi est considérablement renforcée. Je me souviens notamment de ce patient qui, juste avant de mourir, me dit : « Toute ma vie, la peur de mourir m'a gâché l'existence. Je ne croyais pas du tout en Dieu, j'étais agnostique et maintenant que je vais passer de l'autre côté, je n'ai plus peur de partir. Il me tarde même de me retrouver devant Lui ! »

Un handicap définitif

Le handicap définitif, les paralysies, les amputations, les cécités ou les surdités totales, les insuffisances rénales graves qui nécessitent plusieurs hémodialyses hebdomadaires, les insuffisances respiratoires invalidantes qui sont appareillées, etc. méritent d'être évoquées de façon spécifique. En effet, dans ces cas précis, le bonheur inconditionnel ne peut être obtenu qu'en se débranchant de sa conscience analytique chaque fois que celle-ci pointera le bout de son nez pour émettre un jugement par rapport au passé, deuil de ce qu'il n'est plus possible de faire, par rapport au futur, angoisse du devenir, ou par rapport aux autres, sentiment d'infériorité et de frustration. Dans une vie terrestre le handicap est une épreuve qui peut se prolonger des mois, des années, voire des décennies. La survenue du handicap sera généralement vécue selon les étapes chronologiques classiques du deuil : se succéderont donc, ici encore, le déni, la colère, le marchandage, la dépression et l'acceptation. Il faut savoir que pour certaines personnes, l'acceptation ne sera jamais atteinte et que celle-ci ne pourra se produire que si les sentiments de nostalgie, d'angoisse du futur et de la crainte du jugement des autres induits par la conscience analytique sont systématiquement écartés. Pour trouver le bonheur inconditionnel, le handicapé devra prendre en compte son enveloppe corporelle comme un nouveau lieu qu'il devra habiter dans les meilleures conditions possibles. Il vient de quitter une voiture de sport et doit maintenant conduire une 2 CV. Mais il restera le même conducteur, avec son expérience, son histoire passée, ses souvenirs et sa personnalité. Ce changement de véhicule n'a rien à voir avec le bonheur ; on peut être bien plus heureux en conduisant une 2 CV qu'au volant d'une Ferrari. Les sensations ne seront nécessairement pas les mêmes, mais le nouveau pilote découvrira des perceptions totalement inconnues. Par exemple, il pourra prendre enfin le temps de contempler le paysage... Certaines facultés inconnues vont se développer pour se substituer à celles qui sont défaillantes : un aveugle percevra mieux les sons, la musique et les bruits, ses sensations tactiles vont s'affiner, un paraplégique va développer sa musculature au niveau du tronc et des bras, etc. Le handicap pourra parfois être une occasion de révéler sa personnalité. Par exemple, certains ne sont devenus sportifs qu'après une paralysie des membres inférieurs les autorisant à se dépasser physiquement dans des compétitions spécifiques à leur invalidité ; d'autres ont renforcé leur culture en apprenant des langues vivantes ou en lisant beaucoup d'ouvrages qu'ils n'auraient jamais osé aborder. Bref, ce changement radical de vie peut être une épreuve aidant à trouver une forme de bonheur totalement nouvelle et inconnue.

Ce qu'il faut retenir

– Le stress peut nous tuer ou nous permettre d'acquérir une meilleure santé en fonction de la façon dont nous le gérons.

– La prière, la méditation et la confiance en soi abaissent le niveau énergétique cérébral et réduisent les effets délétères du stress. La peur, la colère et les pensées haineuses sont étroitement liées à notre conscience analytique ; elles aggravent ou déclenchent des maladies et réduisent l'espérance de vie.

– Il faut assister un être cher atteint d'une grave maladie ou d'un lourd handicap en restant connecté à sa conscience intuitive. Chasser toute idée relayée à sa conscience analytique.

– Quand on est soi-même touché par ces lourdes épreuves, on doit les envisager comme des situations enrichissantes. Considérer son corps en se plaçant à l'extérieur de celui-ci. S'identifier à l'esprit qui l'incarne de façon temporaire. Ici aussi, chasser toute idée reliée à sa conscience analytique. Se connecter le plus souvent possible aux sources d'informations spirituelles, aux consciences pures, divines, universelles et désincarnées.

CHAPITRE 12

Sa propre mort

L'enseignement des expérienceurs

Les personnes ayant connu une mort clinique n'ont plus peur de mourir ; elles ont expérimenté le voyage interdit, savent que sa destination est remplie d'amour inconditionnel et que l'au-delà existe. À en croire leurs témoignages, l'enseignement, parfois reçu en quelques secondes de « temps terrestre » à peine, dépasse de loin une vie entière vouée à la recherche spirituelle. Persuadées d'une meilleure existence après leur mort, elles ne semblent pas pressées pour autant de repasser derrière le voile et déclarent mieux profiter de la vie qu'avant leur brève incursion dans l'au-delà. Une chose est certaine : elles ont toutes acquis une sérénité absolue devant cette échéance incontournable.

Puisque nous savons que l'activité électrique mesurable du cerveau s'arrête quinze secondes après le dernier battement cardiaque, nous avons aujourd'hui la preuve médicale indiscutable que les expérienceurs sont bien revenus d'une mort clinique. Et pourtant, leurs récits ne sont pas reconnus crédibles. Pourquoi ? Pour démontrer le ridicule de ce raisonnement, imaginons quelque chose de plus simple. Par exemple, émettons l'hypothèse que des millions de personnes soient envoyées sur une planète inconnue et que nous ayons la preuve qu'elles se soient bien posées sur l'astre à explorer en y séjournant quelque temps. On aura pu suivre leur progression sur des écrans radar et observer scrupuleusement l'intégralité de leur parcours. Supposons qu'à leur retour, les voyageurs racontent à peu près tous la même histoire, quels que soient leur culture, leur philosophie, leur religion, leur âge, leur sexe, leur niveau socioculturel et que, malgré cela, personne ne les croit. Imaginons cela. Scénario stupide, n'est-ce pas ?

Oui, les preuves objectives d'une vie après la vie sont bien là, et pourtant, beaucoup continuent à nier cette réalité difficilement contestable ! Victor Zammit est un avocat australien qui a étudié le problème de la croyance à une vie après la mort physique d'un point de vue juridique. Il pense avoir rassemblé suffisamment de preuves solides de survivance pour mettre les scientifiques sceptiques à l'épreuve. En 2007, son *Dollar Million Challenge* promet de remettre un million de dollars à celui qui prouvera la non-existence d'une vie après la mort ! Ce défi met désormais la balle dans le camp des détracteurs et des sceptiques. Malin, n'est-ce pas ?

De toute évidence, il semble donc logique d'écouter les récits de celles et ceux qui ont connu une mort clinique pour avoir une petite idée de ce qui nous attend le moment venu. Il en est ainsi chaque fois que nous devons nous rendre dans un pays inconnu : nous prêtons une oreille attentive aux personnes qui s'y sont déjà rendues ou bien alors nous lisons des guides spécialisés rédigés en fonction d'expériences vécues.

Les patients qui connaissent mon travail d'écrivain et qui sont sur le point de mourir en service de réanimation évoquent parfois les NDE. J'ai remarqué que ces récits sont d'un puissant réconfort pour franchir l'ultime étape d'une vie terrestre. Il serait de mon point de vue utile de porter ces diverses expériences à la connaissance des patients hospitalisés dans les unités de soins palliatifs.

On pourra se référer à l'une de ces magnifiques expériences au moment de notre mort, mais il m'arrive aussi d'y songer en regardant un ciel étoilé, allongé sur un transat. Ces petits moments privilégiés sont autant de préparations au grand voyage…

Se tenir prêt à mourir dans les secondes qui suivent

Oui, pour accepter et aimer la vie, il faut être prêt à mourir dans les secondes qui suivent ; c'est l'une des clés fondamentales du secret du bonheur inconditionnel. Et ce n'est pas parce que vous êtes en parfaite santé que vous devez oublier votre mort, bien au contraire. C'est à ce moment-là que la préparation doit atteindre toute sa maturité.

Dans nos sociétés occidentales, la mort est affublée d'une foule d'éléments négatifs ; elle est synonyme d'échec médical, de rupture affective, de séparation définitive, de tragédie sentimentale, de tristesse profonde, de perte cruelle, de chagrin inconsolable, etc. Bref, selon nos contemporains, il n'y aurait que du mauvais dans cette étape de la vie. La mort est par conséquent devenue un sujet tabou au fur et à mesure que nos civilisations s'enfonçaient dans l'impasse des doctrines matérialistes. La règle du jeu étant de trouver une sorte de bonheur artificiel en essayant de l'oublier par la fuite, au moyen d'un ensemble de « distractions » : travail, loisirs, accumulation de richesses matérielles ou, pire encore, addictions à l'alcool, au sexe, aux drogues, aux jeux de casino. Tout cela pour oublier que nous sommes mortels. C'est ridicule, non ?

Mort subite du nourrisson, mais aussi de l'adulte par rupture d'anévrisme, embolie pulmonaire, arythmie cardiaque, infarctus du myocarde, accident vasculaire cérébral, choc allergique ou encore lors d'un accident de la route, mort subite du sportif… Tous les jours, des dizaines de milliers de personnes disparaissent de la surface de notre planète sans même avoir eu le temps d'en prendre conscience. Pouf ! Extinction des feux, plus de son, plus d'images, avant de renaître quelque temps plus tard dans une autre dimension. Y avez-vous songé ne serait-ce qu'un instant ? Avez-vous pris conscience qu'au moment où vous lisez ces lignes, vous êtes peut-être en excellente santé, sans antécédents médicaux particuliers, n'êtes jamais malade, n'avez jamais consulté de médecin, jamais pris le moindre traitement et que, malgré cette forme éblouissante apparente, vous pouvez mourir sans crier gare dans la minute qui suit ? En écrivant cela, je ne veux pas vous saper le moral, mais je souhaite vous offrir du bonheur. Le fameux bonheur inconditionnel rencontré par celles et ceux qui ont connu une mort clinique et qui n'ont absolument plus peur de mourir. Essayez ce petit exercice, il est facile à réaliser. Choisissez un endroit calme. Allongez-vous. Fermez les yeux. Laissez-vous aller. Détendez tous vos muscles en commençant par les pieds, les jambes, le bassin, puis les mains, les bras, les épaules, les muscles abdominaux, la nuque, le visage. Respirez lentement et profondément. Quand vous sentirez le calme vous envahir, dites-vous que vous êtes un esprit dans un corps inerte, que cet esprit peut quitter à tout moment cette carcasse faite de chair et d'os et que ce n'est vraiment pas grave, que cette perspective vous enchante et vous remplit de joie, car vous allez pouvoir connaître une formidable expansion de conscience. Dites-vous que ce moment-là sera le plus beau moment de votre vie. Dites-vous que la mort n'est que ça : un changement de plan qui permet une expansion de conscience. En répétant cet exercice régulièrement, je vous garantis que vous aurez moins peur de mourir et que les petits désagréments de la vie auront de ce fait beaucoup moins de poids et d'impact sur vous. C'est comme si vous aviez peur de prendre l'avion et que vous alliez régulièrement visiter un aéroport en vous imaginant être à bord de l'un d'eux. Le jour venu, vous n'aurez presque plus peur de vous envoler.

La joie de vivre, le bonheur de mourir

Je sais que ce petit sous-chapitre risque de choquer bien des gens, mais il est néanmoins nécessaire pour connaître la réalisation d'un bonheur inconditionnel.

Mourir est un véritable bonheur. Ce n'est pas moi qui le dis, mais les millions d'individus qui ont connu une mort clinique. Un bonheur qui vaut mille milliards d'orgasmes, comme l'a prétendu un jour l'un des expérienceurs. Il est si puissant que les mots manquent pour l'exprimer : amour inconditionnel, bien-être indicible... Dans la majorité des cas, les moments ultimes de la vie terrestre sont vécus sans aucune douleur mais sont, au contraire, accompagnés de sensations voluptueuses et enivrantes. Les sécrétions d'endorphines, hormones du plaisir massivement libérées dans la circulation sanguine en période de stress, pourraient expliquer cet état second. La plénitude totale serait atteinte par une explosion d'endorphine relayée par des sécrétions dopaminergiques cérébrales. Cette théorie biochimique serait satisfaisante si le bonheur inconditionnel était ponctuel, s'il ne durait que quelques secondes après l'arrêt cardiaque. Hélas pour les matérialistes, cette hypothèse ne tient pas, car le fameux bonheur en question se prolonge bien plus loin que cela dans le temps, bien au-delà des quinze secondes qui suivent le dernier battement du cœur, autrement dit, à des moments où le cerveau est tout à fait incapable de libérer la moindre sécrétion hormonale. Alors, d'où peut donc venir ce bien-être exceptionnel si ce n'est d'une conscience totalement libérée de son support matériel ?

Il peut sembler surprenant que ceux qui ont connu une mort clinique disent avoir traversé la plus belle et la plus merveilleuse des périodes de leur vie mais ne souhaitent pas pour autant aller se suicider au plus vite. On pourrait effectivement penser naïvement qu'elles devraient désirer retourner rapidement dans l'au-delà. Eh bien, point du tout ! Persuadées qu'elles reviendront de toute façon, le temps venu, dans la lumière, elles veulent jouir de la vie, de la vraie vie terrestre, mais d'une singulière façon ou tout le moins d'une manière inhabituelle : en donnant de l'amour aux autres ! Voilà leur secret : le bonheur de la mort leur a donné la joie de vivre ! C'est pour cela qu'elles sont si heureuses de partager leurs histoires avec nous. On doit les écouter. Les écouter nous prépare à notre futur passage de la plus belle des façons.

Un lien jamais coupé

Dans ma carrière, j'ai assisté beaucoup de mourants. Je connais leurs angoisses et leurs questionnements. Je leur parle maintenant très librement lorsqu'ils m'interrogent sur l'après-vie. Quand ils me disent que ce qui les attriste le plus est de devoir laisser leurs proches sans pouvoir continuer à les aider, des enfants à éduquer, un conjoint à soutenir – comment va-t-il (ou elle) faire sans moi –, un vieux parent dont il faut s'occuper – il (ou elle) n'avait plus que moi –, je leur réponds qu'ils se trompent et qu'ils vont pouvoir les aider d'une autre manière et que ce n'est pas parce qu'ils changeront de plan que la relation s'arrêtera définitivement. Le fil n'est jamais coupé. Il suffira que leur conscience enfin libérée se concentre sur un être cher ou sur son appel pour que le relais se fasse avec le monde des vivants. Instantanément. Il existe de multiples témoignages qui attestent cela. Les esprits désincarnés nous communiquent des informations dès qu'ils sont sollicités. Ce qui veut dire que nous serons nous aussi capables de telles prouesses après notre décès.

Le petit guide du routard de la mort

Je dis souvent que mes meilleurs professeurs ne sont pas ceux qui m'ont enseigné la médecine, mais plutôt ceux qui ont eu la gentillesse de bien vouloir me raconter ce qu'ils avaient vécu pendant leur mort clinique. Fort de tous ces témoignages que j'ai pu recueillir et d'une certaine expérience, acquise en observant le travail de médiums dignes de ce nom, je serai en mesure de vous accompagner au moment du passage, comme une sorte de guide touristique dont la destination finale (ou temporaire) est l'au-delà. Si vous étiez sur le point de mourir et que j'étais à vos côtés, voilà ce que je vous dirais :

« *Laissez-vous aller. Ne luttez plus, c'est inutile. Vous allez quitter votre corps. Vous êtes maintenant au-dessus de lui et vous pouvez l'observer. Vous êtes étonné de vous sentir formidablement bien. Je sais que vous n'avez jamais été aussi bien durant toute votre vie. Je sais. Je sais aussi que vous n'avez pas du tout envie de retourner dans cette enveloppe de chair qui vous dégoûte un peu et qui vous a pourtant véhiculé pendant toutes ces années. Vous vous sentez libéré. Enfin ! Vous êtes tellement bien... Vous voulez dire aux réanimateurs d'arrêter le massage cardiaque ? Eh oui, inutile d'insister, ils ne vous voient pas et ne peuvent même pas vous sentir si vous les touchez. Un des médecins a peut-être senti votre souffle au moment où vous êtes sorti par le haut de votre tête ; ça arrive quelques fois, mais c'est rare... Vous souhaitez voir votre fils qui travaille à New York ? Pas de problème, désormais le temps et l'espace sont pour vous sans limites. C'est l'avantage de cette situation. On y va. Je vous accompagne. C'est lui, là, dans son bureau ? Ah, ça y est, je le vois. Il vient de décrocher son téléphone et sanglote. On vient de lui annoncer votre décès. Envoyez-lui une pensée* d'amour pour lui donner du courage... Vous avez vu ? Ça marche. Il lève les yeux vers le ciel chargé de Manhattan et il sourit en essuyant une larme. Il vous a entendu. Il est un peu médium votre fils, non ? Faites-lui un signe avec les nuages. Oui, vous avez aussi cette possibilité. Dessinez-lui quelque chose qui lui fasse comprendre que vous êtes à ses côtés. La tête du petit caniche que vous avez offert à sa femme au dernier Noël ? C'est son portrait que vous voulez ? Pas de problème... Hop, voilà, c'est fait. Vous avez vu ça ? La ressemblance est parfaite non ? Ah, dommage, il ne le verra pas, il vient de tourner le dos et s'éloigne de la fenêtre. Nous sommes déjà de retour à l'hôpital au-dessus de votre corps recouvert d'un drap parce que vous me demandiez ce qu'était devenu ce vieux tas d'os. Et bien voyez, il est là et on attend de le descendre à la morgue. Oui, je suis d'accord avec vous, ce n'est pas très intéressant ici, on ne va pas rester. Si vous voulez, on reviendra le jour de la cérémonie de votre enterrement pour voir comment ça se passe. Oh, et cette lumière blanche qu'il y a, là-bas, tout au fond, vous la voyez ? Elle est pleine d'amour. Elle vous appelle. Allez-y. Qu'attendez-vous ? C'est dans cette lumière que votre vraie vie va commencer. Moi, je n'ai pas le droit d'y aller. Pas encore. Mon tour viendra. Et je sais que ce jour-là sera le plus beau jour de ma vie.

Ce qu'il faut retenir

– Lisons des récits d'expérienceurs, ce sont de véritables guides du routard de l'au-delà. Ces lectures nous renseignent et nous éclairent. Elles ont un effet thérapeutique sur les angoisses de la mort.

– Soyons prêts pour le grand voyage en y songeant régulièrement et en nous débarrassant de tout sentiment de peur. Mettons-nous en situation, comme si nous allions mourir dans les secondes qui suivent.

– Quand nous serons passés de l'autre côté, le fil ne sera jamais coupé et nous aurons la possibilité de communiquer avec le monde des vivants pour les aider dans leurs épreuves.

– Le jour de notre mort sera le plus beau jour de notre vie.

CHAPITRE 13

La perte affective

Nous pouvons être amenés à subir la séparation d'un être cher sans que la mort soit responsable de ce bouleversement. Notre conjoint décide de nous quitter et nous devons gérer la situation au mieux.

Les répercussions de la blessure

Elles surgissent immédiatement, car cette information est d'emblée traitée par la conscience analytique. Projection dans les angoisses du futur : comment vais-je faire sans lui ou sans elle ? Nostalgies du passé : je ne connaîtrai plus ces formidables moments vécus avec lui ou avec elle. Activation de l'ego : capacités de séduction mises en doute et sensation de trahison. Tout cela induit tristesse et dépression. Il faut donc se débrancher au plus vite de ce système de pensées destructrices qui nous assaille et nous mine.

Le fameux « lâcher prise » est ici bien utile. Il faudra admettre que l'univers a choisi de vous imposer cette nouvelle épreuve et que, ici non plus, toutes les clés ne sont pas disponibles pour comprendre un chemin de vie.

Un impératif : s'adapter à la nouvelle situation sans chercher à analyser les causes de la séparation. Cette recherche stérile ne ferait que renforcer la trilogie destructrice (passé-futur-ego) de la conscience analytique en produisant un jugement aussi subjectif qu'inutile.

La vacuité

Le vide laissé par cette perte laissera vacant différents espaces, qui devront être occupés d'une façon ou d'une autre : espace de temps partagé, espace affectif, espace fusionnel, espace de projection temporelle. Je m'explique :

examinons un à un chacun de ces quatre espaces pour mieux les définir.

L'espace de temps partagé est le temps habituellement passé en compagnie de l'être disparu.

L'espace affectif est la place que l'être disparu occupe, ou occupait, dans le cœur de celle ou de celui qui est quitté(e).

L'espace fusionnel est la part de l'influence du disparu sur la personnalité de celle ou de celui qui a été quitté.

L'espace de projection temporelle est le projet de vie que faisait celle ou celui qui est quitté(e) avec l'être disparu.

On pourrait mesurer l'importance de l'être disparu dans la vie de la personne quittée, et donc l'intensité du traumatisme, par l'importance de ces quatre espaces. Il est évident que la vacuité sera d'autant plus grande que ces espaces étaient bien remplis avant la séparation. Par exemple, imaginons un couple marié depuis trente ans qui travaille dans une même entreprise. L'espace de temps partagé est considérable puisqu'il est quasi continu depuis trois décennies. Le mari dirige la petite affaire familiale et vient d'avoir une idée nouvelle, qui est susceptible d'apporter des gains supplémentaires permettant au couple de pouvoir enfin prendre quelques semaines de vacances : projection temporelle significative. Sa femme l'admire et l'aime d'un amour sincère et sans faille : espace affectif important. Elle se laisse guider dans toutes les décisions qu'il prend car, selon elle, il choisit toujours la meilleure option : espace fusionnel majeur. Dans ces conditions-là, si l'épouse apprend que son mari la quitte pour refaire sa vie avec l'une de ses employées, la vacuité sera maximale et le risque de détresse morale à son apogée.

Comment réagir

Je ne reviens pas sur l'attitude à avoir pour réagir au stress de l'annonce du traumatisme. Celle-ci a déjà été traitée précédemment et est, bien sûr, valable dans ce cas-là ainsi que dans les suivants : annonce d'une perte d'emploi ou d'une ruine.

Comme je l'ai écrit plus haut, la nature ayant horreur du vide, la vacuité laissée par les quatre espaces de la relation sera, de toute manière, remplie d'une façon ou d'une autre. Le piège récurrent et classique est d'alimenter ces espaces par le réservoir des sentiments négatifs qui restent à l'état latent dans notre conscience analytique. La peur, la colère, la haine, la jalousie en seront la résultante. Elles pourront déboucher sur des conduites extrêmes et destructrices : dépression, addiction, meurtre ou suicide.

Une seule attitude salvatrice devant cette avalanche de sentiments négatifs : envoyer des pensées d'amour à l'univers en se connectant à sa conscience intuitive. La conscience universelle, la conscience divine et les consciences désincarnées vont entendre ces prières et induire des réponses. Pour envoyer des pensées d'amour à l'univers, il faut les adresser à toutes ses créations spirituelles et matérielles. Il faut remercier la conscience divine pour tout ce qu'elle nous a donné : la vie avec ses joies et ses peines qui nous aident à progresser. On ne doit pas oublier que les obstacles et les échecs nous sont envoyés comme des cadeaux pour nous faire grandir et nous renforcer. Les pensées d'amour seront aussi et surtout adressées à l'être qui vient de nous quitter, qui est aussi une création divine mise sur notre chemin de vie pour notre propre évolution. Si ces pensées d'amour sont sincères, elles aboutiront instantanément au pardon. Le pardon est une autre clé majeure du bonheur inconditionnel. Apprendre à pardonner, c'est apprendre à aimer. On ne peut trouver le bonheur inconditionnel sans amour et sans pardon. La conscience universelle, la conscience divine et les consciences désincarnées recevront les messages d'amour « 5 sur 5 », comme disent les pompiers dans leurs messages radio. Les réponses ne se feront pas attendre bien longtemps. Elles rempliront abondamment les quatre espaces de la vacuité en nous traçant un autre chemin de vie. La solution donnée ne sera pas nécessairement celle attendue, qui est la plupart du temps un espoir de « retour de l'être aimé » (selon la formule employée par certains faux prédicateurs) ou une substitution de la personne disparue avec le désir implicite d'obtenir le même schéma relationnel. Non, il pourra aussi s'agir d'une véritable révolution d'existence, un tournant décisif qui amènera l'individu blessé sur un autre parcours. Nous sommes comme un train sur des rails, la voie nous semble libre et dégagée, et brusquement, un changement d'aiguillage nous oriente vers une autre direction. Nous devons tout faire pour ne pas dérailler. Il est totalement inutile et vain d'essayer de reprendre la voie initiale, c'est tout simplement impossible. Pas plus que d'essayer de comprendre les raisons de ce changement. Il faut respecter le plan du chef de gare, même si nous ne savons pas qui Il est ni où Il veut nous mener.

Un exemple typique

L'histoire récente de mon ami André illustre parfaitement ce que je viens d'exposer. Il ne m'en voudra pas de raconter l'une des parties les plus douloureuses de sa vie, car il est désormais dans une démarche de partage et parle très librement de son singulier parcours.

André exerçait depuis une dizaine d'années la médecine générale dans une petite bourgade du sud de la France. Au fil du temps, il s'était constitué une belle clientèle et son cabinet ne désemplissait pas. Son épouse Hélène lui assurait le secrétariat et lui servait d'assistante lorsqu'il y avait des points de suture à faire ou des enfants trop agités à maîtriser au moment des vaccinations. Le couple évoluait pour ainsi dire sur une route toute tracée et sans encombre. Pourtant, peu à peu, de gros nuages noirs se profilèrent dans l'existence de cette petite famille modèle, qui cherchait désespérément à s'agrandir. Malgré la contribution des récents progrès de la médecine, Hélène demeurait stérile ; les stimulations ovariennes et les méthodes de fécondations in vitro n'avaient donné aucun résultat. André devint de plus en plus acariâtre et taciturne. Chaque fois que nous le recevions avec sa femme à la maison, il se plaignait de ne plus avoir goût à rien. Il nous disait que son métier ne consistait qu'à faire des renouvellements d'ordonnance et que la vie d'abruti qu'il menait lui pompait toute son énergie. Hélène confirmait son analyse en précisant que son mari vivait comme un robot et que sa charge de travail lui interdisait de faire quoi que ce soit d'autre. En fait, André avait perdu le goût de vivre. Plus rien ne le motivait. Il n'avait plus d'amour à donner, pas plus à ses patients qu'à son entourage. Et peut-être encore moins à lui-même ; il ne se rasait plus et se coupait lui-même les cheveux lorsqu'ils débordaient trop largement sur sa nuque et ses oreilles.

Un soir, André frappa à notre porte. Il sentait l'alcool à dix mètres. Il nous annonça que sa femme était partie refaire sa vie avec un homme qu'il connaissait bien puisqu'il s'agissait de son propre comptable ! Mon épouse Corine lui prépara un café serré en essayant de le réconforter par des paroles apaisantes. En ce qui me concerne, ne sachant trop quoi dire, je me contentais d'observer cette pitoyable situation en restant muet. Néanmoins, la conversation très courte que nous eûmes environ une heure plus tard, André et moi, a été, de son propre aveu, déterminante pour son avenir. Elle restera à jamais gravée dans nos deux mémoires.

« – *Je crois que si je les revois, je vais les tuer tous les deux. Lui d'abord et Hélène ensuite. Qu'est-ce que tu ferais toi, à ma place, hein ? Imagine un peu : Corine se casse avec un de tes amis. Qu'est-ce que tu ferais ?*

– …

– Ah, tu vois, tu sais pas quoi dire !

– Je crois que je prierais.

– Quoi ?!

– Oui, je crois que je prierais. J'enverrais des pensées d'amour à l'univers. J'enverrais des pensées d'amour à ma femme et aussi à son amant. Je m'adresserais à Dieu pour qu'il me donne de l'aide et aussi aux personnes décédées qui me sont chères. Ensuite, j'attendrais d'être guidé.

– … ?

— *Ben quoi, pourquoi tu me regardes comme ça ? Tu me demandes ce que je ferais à ta place. Je viens de te le dire, c'est tout !*

— *Excuse-moi, vieux, je ne savais pas que je parlais à un extraterrestre. Bon, il se fait tard, je vais aller me reposer un peu moi. Demain matin, ma salle d'attente sera pleine. »*

Il nous quitta très sèchement. Je ne le revis que six mois plus tard, par hasard (si celui-ci existe), dans une rue commerçante de Toulouse. Il semblait complètement métamorphosé : son visage, rasé de près, avait rajeuni de plusieurs années. Il insista pour que je prenne un verre avec lui ; il avait une foule de choses à me dire.

Quelques semaines après le départ d'Hélène, il me raconta avoir fermé son cabinet, rassemblé ses économies pour passer l'hiver sous les cocotiers. Dans les quinze jours suivant son arrivée, le fameux tsunami dont toute la planète a parlé s'abattit dans la région où il séjournait. Il fit partie des rares survivants de son hôtel situé au bord de l'océan. Avant l'arrivée des secours, il assista, impuissant, à de multiples drames : des enfants noyés ou écrasés par des gravats, des membres amputés, des vieillards perdus qui gémissaient.

Partout des cris, des plaintes, des hurlements, des pleurs, du sang, des plaies béantes. Pour la première fois de sa vie, il se mit à prier. Il repensa à moi et à notre discussion le soir de sa rupture avec Hélène. Une fois revenu en France, il contacta Médecins sans frontières et partit en mission humanitaire dans la semaine qui suivit à l'autre bout du monde. Depuis, il enchaîne les déplacements organisés par cette association caritative. André avait redonné un sens à sa vie. Il m'avoua qu'il avait pardonné Hélène ; son départ du foyer conjugal avait permis de lui faire comprendre qu'il n'était pas fait pour vivre en couple. On peut dire qu'André avait trouvé une forme de bonheur inconditionnel. Les quatre espaces de la vacuité étaient désormais bien remplis. Pour arriver à ce résultat, il dut affronter de plein fouet une rupture sentimentale et un tsunami. Rien que ça ! L'univers répondit à sa prière de la plus belle des façons : en lui donnant la possibilité de donner davantage d'amour aux autres.

Ce qu'il faut retenir

Pour gérer au mieux une rupture affective, plusieurs choses sont à faire :

— Se débrancher de sa conscience analytique.

— Lâcher prise.

— Ne pas essayer d'expliquer ou de comprendre le mécanisme de la rupture.

— Remplir les quatre espaces de la vacuité en envoyant des pensées d'amour à l'univers et à la personne qui nous a quitté.

— Pardonner.

— Rester connecté à sa conscience intuitive et faire confiance à l'univers.

CHAPITRE 14

La perte de son travail

L'importance sociétale du travail

En dehors de notre temps de sommeil et en période d'activité professionnelle, nous passons en moyenne plus de deux tiers de notre temps à travailler. La valeur quantitative du travail est donc indéniable dans nos sociétés. La période de scolarisation et d'apprentissage qui débute dès la maternelle débouchera sur une activité professionnelle spécifique, qui sera fonction de notre personnalité, de nos aptitudes et de nos capacités. En fait, tout se passe comme si une grande partie de notre vie, depuis le plus jeune âge jusqu'à celui de la retraite, n'était exclusivement consacrée qu'au travail. Celui-ci devenant même bien souvent la motivation essentielle de l'existence. La personne vit alors de manière obsessionnelle pour le travail et par le travail et se trouve complètement perdue et déroutée lorsque celui-ci s'arrête même lors de courtes périodes de congés.

Nos sociétés occidentales, fortement intoxiquées par la pensée matérialiste, ont tendance à identifier la valeur d'une personne à son statut social et à ses revenus professionnels. Par exemple, en ce qui me concerne, pour beaucoup je suis « le docteur » ou « le docteur écrivain », comme si mon existence était exclusivement consacrée à ces activités réductrices et que celles-ci étaient l'unique façon de me définir. Lorsque je suis reçu dans une assemblée d'inconnus, il y a toujours quelqu'un pour me toucher l'épaule en disant bien fort : « Je vous présente le docteur écrivain dont je vous avais déjà parlé. » Ou alors, encore pire : « Et voici l'anesthésiste qui écrit des livres sur la vie après la mort et l'au-delà. Vous avez déjà dû le voir à la télé, il y passe très souvent. » Et là, je vous assure que l'on a de bonnes raisons de se prendre pour une bête de foire ! Je me demande souvent ce que je représenterais pour tous ces gens si je n'étais ni anesthésiste ni écrivain et si je n'étais jamais « passé à la télé ». D'ailleurs, dans ces conditions-là, m'auraient-ils seulement invité ? Accorderait-on du crédit à mes idées si j'étais un boulanger-pâtissier ou un vendeur de voitures ? Non, sûrement pas.

Plus une civilisation accorde de l'importance aux choses matérielles, plus elle sera orientée sur le travail et sa productivité. Aux États-Unis, cette priorité semble exacerbée. Pour beaucoup d'Américains, un individu s'évalue avant tout par son métier et le volume de son compte en banque. Zéro retenue sur la question ! Il n'y a chez eux aucune pudeur par rapport à l'argent. Je me souviens avoir fait un parcours de golf en Floride avec mon épouse et un couple d'autochtones que je n'avais jamais vu. Au bout d'une vingtaine de minutes de jeu, le type s'avance vers moi et, tout en faisant des swings d'essais avec son club, me demande sans m'adresser un regard ce que je fais dans la vie et combien je gagne par mois ! Quand je lui ai répondu « *I don't know !* », l'indiscret m'a dévisagé comme si je venais de la planète Mars.

Ce n'est pas le métier qui nous définit

La première chose à retenir est la suivante : quand nous exerçons un métier, ce n'est pas le métier qui nous définit, mais c'est au contraire notre personnalité qui va déterminer la façon dont il sera exercé. Nous incarnons un métier, ce n'est pas le métier qui doit nous incarner. Je ne suis pas l'anesthésiste qui parle de l'au-delà, je suis Jean-Jacques Charbonier, qui exerce la profession d'anesthésiste, tout en s'intéressant à l'au-delà. La nuance est de taille. Dans le cas contraire, qui deviendrai-je dès le premier jour de ma retraite ? Comment ne pas avoir une crise identitaire au moment de la perte de son travail si l'on pense que toute sa vie ne se résume qu'à sa profession ? Je sais que nos politiques accordent une importance primordiale à la valeur travail. Mais en exagérant leur message, ils induisent des angoisses existentielles à nos jeunes privés d'emploi et poussent au suicide ceux qui ne réussissent pas à s'épanouir dans leur entreprise. Ce n'est pas très intelligent.

Le temps libéré

En assimilant le temps libre à une période non travaillée, on s'accorde à penser que le travail est une privation de liberté, une sorte de prison dans laquelle on se complairait à s'enfermer. Il est vrai que la perte de son emploi induit une certaine vacuité devant être secondairement occupée par des activités choisies, mais la sacralisation du travail est telle que cette acquisition soudaine de liberté est totalement taboue et ne doit en aucun cas être vécue comme un avantage. Je vous laisse imaginer les réactions si un chef d'entreprise annonçait des mises en liberté de certains travailleurs de son usine pour signifier un licenciement collectif ! Ce temps libre dégagé, correspondant à du temps « non travaillé », est souvent assimilé au néant. Quand on demande à quelqu'un qui vient de perdre son job ce qu'il fait dans la vie, il répond bien souvent : « Rien, pour l'instant… » Je sais que je vais faire hurler de rage bon nombre de lecteurs au chômage en écrivant cela, mais la perte d'un travail peut être une véritable chance, qui donne l'occasion de faire le point sur sa vie, de se retourner pour juger le chemin accompli et de regarder l'avenir en se demandant ce que l'on souhaite vraiment faire. La personne qui a eu constamment la tête dans le guidon et qui n'a jamais cessé de pédaler pourra se relever et observer son parcours. Pour une fois, la conscience analytique pourra être mise à contribution, mais sans angoisse, ni nostalgie, ni référence à l'ego. L'exercice n'est pas facile, mais il peut être salutaire.

Ne pas chercher de coupable

Il faut avoir conscience que nous sommes responsables de tout ce qui nous arrive ; la perte d'un travail n'échappe pas à cette règle. La personne qui se trouve au chômage, qui est licenciée ou qui est en incapacité de poursuivre un métier, va d'emblée chercher un responsable de sa situation alors qu'elle a choisi une filière, une entreprise ou une activité en sachant pertinemment que ce risque existait. Trouver un faux coupable va engendrer le cortège classique des sentiments négatifs : la colère, la haine, la peur, la jalousie et l'autodestruction. Ce n'est pas la bonne méthode pour se sortir de l'ornière ; le seul responsable de nos chemins de vie, c'est nous-même et il faut savoir assumer pleinement ses choix et ses responsabilités.

Le modèle des expérienceurs

La personne qui a vécu une mort clinique change radicalement de vie. Si l'étude du docteur Christian Rozen publiée en 2005 a pu montrer que 75 % des mariages pré-NDE se terminaient par un divorce, l'expérience de mort provisoire entraîne une perte du travail de façon quasi systématique.

Il y a deux raisons essentielles à cela. La première est médicale : subir un arrêt cardiaque peut laisser un handicap physique incompatible avec la poursuite de son activité professionnelle. Il est également évident qu'un polytraumatisé de la route devra envisager une reconversion si son métier exigeait une complète autonomie. Idem pour celui qui fait un gros infarctus du myocarde et qui avait un emploi stressant. La seconde raison est plus subtile : elle est provoquée par un changement complet d'objectif de vie. Et c'est précisément cette métamorphose qui nous intéresse ici. L'expérience de mort provisoire induit une transformation qui aboutit à la mort de l'ego. Cette disparition fulgurante abolit la vanité, la cupidité, la jalousie, le paraître, bref, tous les systèmes de valeur liés au statut social, étroitement dépendants de la fameuse question que mon partenaire de golf américain pensait primordiale : « Que faites-vous dans la vie et combien gagnez-vous par mois ? » Dans ces conditions de « mort de l'ego », le métier ne sera plus assimilé à un moyen de se distinguer dans la société pour être supérieur à ses contemporains, mais plutôt à une façon d'aider l'autre pour mieux l'aimer en le servant. Ce ne seront donc plus les métiers socialement valorisants qui deviendront prioritaires. J'ai dans ma collection de témoignages d'expérienceurs bon nombre d'exemples significatifs : un richissime homme d'affaires devenu artiste peintre, un chef d'entreprise converti en aide-soignant, une jeune cadre dynamique transformée en sophrologue, etc. Tous ont trouvé le bonheur en comprenant que la motivation essentielle d'une vie était l'amour, le don de soi et non pas l'importance de son compte en banque ! La sophrologue que je viens de citer à l'instant était une femme ambitieuse qui vivait à cent à l'heure. Un beau jour, alors qu'elle était au volant de sa voiture, elle voulut saisir son téléphone portable, qui était sur la banquette arrière. Elle percuta de plein fouet un gros arbre qui lui fit connaître l'expérience la plus enrichissante de sa vie. Lourdement handicapée, elle dut renoncer à son travail qui, du reste, ne l'intéressait plus du tout. Aujourd'hui, Nicole Canivenq n'a pratiquement plus aucune séquelle physique de son accident. Elle soigne les autres avec beaucoup d'humilité, après avoir entrepris une reconversion professionnelle totale. J'ai eu le plaisir de préfacer son livre *L'Arbre du choix* (éd. Le temps présent, 2010), qui retrace l'histoire de ce changement radical. Pour Nicole, comme pour la majorité des expérienceurs, la perte du travail a plutôt été vécue comme une belle opportunité de modifier son cap. Cette rupture permet de rebondir sur une existence ayant des objectifs totalement différents mais sans doute beaucoup plus accessibles. La seule condition pour réussir étant de savoir tuer son ego.

Réaliser un egocide

Tuer son ego n'est pas chose facile quand on n'est pas dans une démarche spirituelle ou que l'on n'a pas connu une expérience de mort provisoire, une NDE ou bien encore une expérience transcendante comme celles obtenues à l'occasion d'une décorporation. Cet egocide est pourtant indispensable si l'on veut trouver le bonheur inconditionnel après avoir perdu son travail. La seule façon d'y parvenir, j'insiste bien, la seule, est de se connecter à sa conscience intuitive – sa conscience pure – pour envoyer des pensées d'amour : pensées d'amour à l'univers et à la conscience divine, pensées d'amour à la personne qui a pris notre place et au patron qui nous a licencié, car on doit pardonner. Le pardon est le plus bel acte d'amour. C'est aussi le plus difficile à réaliser car l'ego a tendance à vite reprendre le dessus. La conscience intuitive fonctionne dans les deux sens pour faire circuler les informations : en mode « émetteur », elle enverra en prières des pensées d'amour, tandis qu'en mode « récepteur », elle recevra, par la méditation, des signaux venant de la conscience divine, de la conscience universelle et des consciences désincarnées. Ce système fonctionne à plein régime chez les expérienceurs qui, en se débarrassant facilement de leur ego, ne tardent pas à retrouver un travail qui leur correspond mieux.

Ce qu'il faut retenir

– La valeur d'une personne ne s'évalue pas selon son métier.

– La période non travaillée est l'occasion de faire le point sur sa vie.

– La perte de son travail peut déboucher sur un chemin de vie spirituellement plus riche.

– Ne pas chercher de coupable pour expliquer sa situation.

– Il faut tuer son ego et savoir pardonner.

– Envoyer des pensées d'amour en priant et écouter les informations données par l'univers en méditant.

CHAPITRE 15

La ruine

*Ruine : état de quelqu'un
qui a perdu tous ses biens,
tout son avoir. (Larousse)*

La ruine, une catastrophe aléatoire

Dans nos sociétés matérialistes qui considèrent que l'avoir est plus important que l'être, la ruine se profile dans nos consciences comme la pire des catastrophes. Imaginez-vous un peu : perdre tout son avoir ! Est-il possible d'exister si on a plus d'avoir ? Bien sûr que oui, puisqu'il restera de nous l'essentiel : notre véritable identité débarrassée de toutes les choses matérielles qui polluent notre mental. Pour la personne en recherche de spiritualité, cette éventualité est une fantastique opportunité, une bénédiction, voire un état de grâce attendu avec impatience pour être en meilleure connexion avec les forces de l'esprit.

La notion de ruine est aléatoire, fonction des individus et des vécus. Un riche industriel s'estimera ruiné s'il perd ses sociétés et se retrouve sans travail, avec à la clé, un confortable parachute doré de quelques centaines de milliers d'euros, tandis qu'un cadre supérieur situera le seuil de pauvreté en dessous du SMIC et un habitant des favelas à l'impossibilité de boire suffisamment d'eau pour ne pas mourir de soif. En fait, de quoi avons-nous besoin pour vivre, pour être, pour exister ? Il nous faut de l'eau, un peu de nourriture et de quoi s'abriter. C'est tout ! Eh oui, c'est tout ! Nous avons créé tout un ensemble de gadgets et de faux besoins ; un ensemble de distractions qui rendent beaucoup de gens malheureux, en particulier nos enfants qui s'estiment frustrés s'ils ne peuvent pas s'acheter le dernier iPad à la mode.

Donne et tu recevras

Je sais ce que certains lecteurs vont penser en lisant ces lignes : « C'est facile pour le docteur d'écrire que l'argent n'est pas important ; il ne manque de rien, lui ! En plus, il ne donne pas l'impression de beaucoup se priver pour faire évoluer sa spiritualité ! » C'est vrai, je ne manque de rien, mais je peux vous assurer une chose : je n'ai absolument pas cherché à accumuler des richesses. Elles sont arrivées à moi sans que je les désire. Je n'ai jamais joué à la Bourse, je ne possède aucun plan de défiscalisation, je n'ai pas de coffre à la banque, je ne dispose d'aucune économie, je donne des conférences bénévolement et beaucoup disent de moi que je suis quelqu'un de trop généreux.

J'ai constaté une chose : plus on donne, plus on reçoit. Cette règle est immuable. Si vous voulez recevoir beaucoup, il vous faudra donner beaucoup et vous ne serez jamais dans le besoin. Bien au contraire, vous deviendrez riche ! Si un jour vous êtes ruiné et qu'il ne vous reste que dix euros en poche, donnez ces dix euros à quelqu'un et l'univers vous en rendra vingt. Car il en est ainsi : tout geste d'amour est récompensé par l'univers bien au-delà de ce qui est donné.

Les personnes vénales qui agissent sans amour sont rapidement sanctionnées par l'univers. Voici un petit exemple démontrant cela. Un jour, j'étais invité à faire une conférence dans une ville d'un pays que je ne nommerai pas, qui est réputé pour son amour de l'argent et pour ses chocolats. L'organisateur décide de ne pas faire payer l'entrée. Il a loué une grande salle qui est rapidement remplie. Il suggère aux auditeurs de payer à la sortie la somme de leur choix pour honorer ma prestation en précisant que ce paiement n'a rien d'obligatoire et que l'on peut aussi ne rien donner du tout si on le souhaite. Sa recette a dépassé de loin toutes ses espérances. Une autre organisatrice événementielle entend parler de cette prouesse et voit, là, une belle occasion d'enrichissement personnel sans trop d'effort. Elle décide de me faire venir dans la même ville deux ans plus tard. Elle loue une salle encore plus grande et propose un tarif d'entrée prohibitif, soit environ quatre fois le prix habituel. Je lui fais part de mon étonnement. Elle me répond que le ticket d'entrée pour assister au concert de Johnny Hallyday la semaine suivante vaut trois fois celui qu'elle propose ! Avec seulement cent onze personnes présentes, la location de la salle et le défraiement de mon voyage, l'organisatrice n'est même pas rentrée dans ses frais. Tant mieux ! Belle leçon, merci l'univers !

Aime et on t'aimera

La personne ruinée sera envahie par un sentiment d'échec culpabilisant. Elle aura conscience d'avoir pris des risques inconsidérés ou réalisera avoir fait toute une série de mauvais choix. Cette analyse lui fera dire : « Comment ai-je pu être aussi stupide ? Pourquoi n'ai-je pas aussi bien réussi ma vie que les autres ? » Ce dénigrement entraînera un désamour systématique. Elle ne s'aimera plus et il lui deviendra par conséquent totalement impossible d'aimer les autres. Elle éprouvera de la colère et en voudra à la terre entière. La spirale descendante sera amorcée, car en dégageant tout autour d'elle des sentiments de haine et de rancœur, elle induira des réponses analogues, qui ne feront que renforcer sa mauvaise humeur et son isolement. Une seule solution pour ne pas rester au fond de cette ornière : apprendre à s'aimer soi-même pour pouvoir mieux aimer les autres. La richesse matérielle ne sera de nouveau au rendez-vous que si la confiance revient. Et cette confiance en soi et dans les autres ne pourra se faire que dans l'amour.

Le schéma habituel du bonheur inconditionnel

Ici encore, on retrouvera les mêmes principes que dans le chapitre précédent. Pour trouver le bonheur inconditionnel dans une situation de ruine, nous venons de voir qu'il faut envoyer des pensées d'amour vers soi-même et vers les autres, mais ces pensées doivent aussi être dirigées vers celles et ceux qui sont jugés responsables de la situation ; il faudra leur pardonner tout en se pardonnant soi-même de ses erreurs passées. Ce pardon nécessitera un egocide obligatoire et l'abandon de tous les sentiments négatifs auto-entretenus par la conscience analytique : peur, colère, haine, rancœur et jalousie.

La conscience intuitive, mise en éveil par la prière et la méditation, enverra des pensées d'amour vers l'univers et recevra des informations pour sortir de cette situation en provenance des différents champs de consciences sollicités.

Ce qu'il faut retenir

– Perdre son avoir permet de mieux être et ouvre la spiritualité qui est en nous.

– La générosité aboutit toujours à la richesse.

– La situation de ruine sera vaincue par l'amour donné à soi-même et aux autres.

– L'amour permet de retrouver la confiance et la richesse.

– Les solutions pour sortir de la ruine passent par un egocide obligatoire, qui rend le pardon possible, une inhibition de sa conscience analytique et un éveil de sa conscience intuitive.

Nous arrivons à la fin de cette troisième partie, qui traite de façon détaillée la manière de trouver le bonheur inconditionnel dans sept situations extrêmement difficiles : la perte d'un être cher, la perte de son animal favori, une maladie grave, un handicap définitif, sa propre mort, la perte affective, la perte de son métier et la ruine. J'ai choisi ces événements car ce sont ceux qui sont unanimement reconnus comme étant les plus pénibles à vivre dans une existence humaine. Il est évident que cette liste de traumatismes psychologiques n'est pas limitative et qu'il existe bien d'autres cas intermédiaires dans lesquels les secrets du bonheur inconditionnel s'appliquent avec la même méthode. On peut en effet imaginer d'autres obstacles, d'autres conditions où le bonheur pourra se trouver en utilisant les mêmes clés. L'utilisation de ces clés est d'une simplicité et d'une facilité déconcertante une fois que l'on a commencé à les mettre en pratique dans son quotidien. Cet enseignement m'a été donné en grande partie par celles et ceux qui m'ont fait comprendre le fonctionnement de la conscience en me racontant ce qu'ils avaient vécu pendant leur mort clinique. Je ne les remercierai jamais assez pour ce formidable cadeau.

Les 3 clés
du bonheur inconditionnel

Le lecteur trop empressé qui, après avoir vu le titre et parcouru l'avant-propos, se précipitera sur cet ultime chapitre pour savoir quelles sont ces fameuse trois clés pour vaincre les pires épreuves de la vie sera déçu, car il ne pourra saisir les fondements de l'enseignement qui est développé dans ce livre. Je lui conseille donc expressément de revenir au tout début avant de découvrir les quelques lignes qui suivent.

Première clé

Comprendre que nous pouvons être assimilés à une entité « habitant » un corps le temps d'une vie terrestre et que notre existence se poursuit dans l'au-delà, bien après la déclaration du décès. Le fait de savoir que nous sommes un esprit incarné permet de prendre de la distance par rapport aux épreuves à subir. On peut, par exemple, s'imaginer être en dehors de soi-même dans les situations difficiles et voir ainsi à quel point les petits tracas quotidiens sont dérisoires. On peut aussi s'adresser à l'esprit désincarné d'un être cher qui nous a quittés pour envisager une relation d'aide réciproque.

Deuxième clé

Apprendre à se libérer de sa conscience analytique, qui juge, mesure et évalue, tout en projetant des nostalgies du passé et des angoisses du futur. C'est aussi cette forme de conscience qui renforce l'ego, un ego qu'il faudra tuer en réalisant un egocide systématique chaque fois que celui-ci pointera le bout de son nez. L'inhibition de la conscience analytique permettra de mettre en éveil la conscience intuitive.

Troisième clé

Apprendre à se connecter à sa conscience intuitive ; cette conscience pure est totalement libérée dans les expériences de mort provisoire. Elle agit comme un émetteur récepteur d'informations, émetteur dans la prière et récepteur dans la méditation. La prière doit envoyer des pensées d'amour dirigées vers soi-même, vers les autres en pardonnant à ses ennemis, vers l'univers et vers ce que les habitants de cette planète appellent Dieu. La méditation permet de recevoir des informations émanant de différentes sources : la conscience divine, la conscience universelle et les consciences désincarnées. La conscience intuitive peut également envoyer des informations télépathiques vers d'autres récepteurs cérébraux qui fonctionnent en « mode intuitif ».

Nous allons tous partir un jour dans la lumière. Et ce moment-là sera le plus merveilleux de toute notre vie, car nous comprendrons enfin que notre existence terrestre n'est qu'une très courte étape de notre évolution. Nous ne devons pas la gâcher en choisissant de mauvais chemins.

La vie est un formidable cadeau. Il est vain de vouloir l'écourter pour déjouer les épreuves, car les plus terribles nous grandissent.

Les trois règles de conduite que je présente dans cet ouvrage sont les clés d'un passage terrestre réussi. À nous de savoir en faire bon usage...

Bibliographie

ATWATER, P.M.H., *Le Grand Livre des NDE ou expériences de mort imminente*, Exergue, 2012.

CANIVENQ, N., *L'Arbre du choix*, Le temps présent, 2010.

CHARBONIER, J.-J., *Les Preuves scientifiques d'une Vie après la vie*, Exergue, 2008 ; *La Médecine face à l'au-delà*, Guy Trédaniel, 2011 ; *Les 7 bonnes raisons de croire à l'au-delà*, Guy Trédaniel, 2012.

CLÉMENT, E., DEMONQUE, C., HANSEN-LOVE, L., KAHN, P., *La Pratique de la philosophie de A à Z*, Hatier, 2011.

DRON, N., *45 secondes d'éternité : mes souvenirs de l'Au-delà*, Kymzo, 2009.

DUBOIS, C., *L'accompagnement des âmes dans l'au-delà*, Le Temps Présent, 2013.

GROF, S., *L'Ultime Voyage*, Guy Trédaniel, 2009.

JOVANOVIC, P., *Enquête sur l'existence des anges gardiens*, Le jardin des livres, 2004.

KÜBLER ROSS E., *Accueillir la mort*, Pocket, 2002 ; *La mort est un nouveau soleil*, Pocket, 2002 ; *La Mort, dernière étape de la croissance*, Pocket, 2002 ; *La mort est une question vitale*, Pocket, 2010.

LABRO, P., *La Traversée*, Gallimard, 1996.

LASZLO, E., *Science et champ akashique*, Ariane, 2005.

LEGALL J.-M., *Contacts avec l'au-delà : un médium témoigne*, Lanore, 2006.

MORZELLE, J., *Tout commence… après. Mes rencontres avec l'au-delà*, C.L.C., 2007.

SHELDRAKE, R., *Une Nouvelle Science de la vie*, Rocher, nouv. éd., 2003.

STEVENSON, I., *20 cas suggérant le phénomène de réincarnation*, J'ai Lu, 2007.

SUTHERLAND, C., *Reborn in the Light : Life After Near-Death Experiences*, Bantam Books, 1997.

VAN LOMMEL, P., *Mort ou pas ? Les dernières découvertes médicales sur les EMI*, Inter Éditions INREES, 2012.

WEISS, B.-L., *Nos Vies antérieures, une thérapie pour demain*, J'ai Lu, 2005.

Table des matières